Classici dell'Arte

65.

L'opera completa di

Georges
de La Tour

Classici dell'Arte

*Biblioteca Universale delle Arti Figurative
diretta da*
ETTORE CAMESASCA

Consulente critico centrale
GIAN ALBERTO DELL'ACQUA

Comitato di consulenza critica
BRUNO MOLAJOLI
CARLO L. RAGGHIANTI
ANDRÉ CHASTEL
JACQUES THUILLIER
DOUGLAS COOPER
DAVID TALBOT RICE
LORENZ EITNER
RUDOLF WITTKOWER
XAVIER DE SALAS
ENRIQUE LAFUENTE FERRARI

Segretaria di redazione
CARLA VIAZZOLI

Redazione e Grafica
EDI BACCHESCHI
TIZIANA FRATI
SERGIO CORADESCHI
FIORELLA MINERVINO
SALVATORE SALMI
SERGIO TRAGNI
ANTONIO OGLIARI
GIANFRANCO CHIMINELLO
MARCELLO ZOFFILI

Segreteria
MARISA DE LUCIA
MARISA CINGOLANI

Consulenza grafica e tecnica
PIERO RAGGI

Stampa e rilegatura a cura di
ALEX CAMBISSA
CARLO PRADA
LUCIO FOSSATI

Colori a cura di
PIETRO VOLONTÈ

Coedizioni estere
FRANCA SIRONI
ENRICO MAYER

Comitato editoriale
ANDREA RIZZOLI
GIANNI FERRAUTO
HENRI FLAMMARION
FRANCIS BOUVET
HARRY N. ABRAMS
MILTON S. FOX
J. Y. A. NOGUER
JOSÉ PARDO
GEORGE WEIDENFELD

L'opera completa di

Georges de La Tour

Presentazione e apparati critici e filologici di
JACQUES THUILLIER

Rizzoli Editore · Milano

Alla ricerca di Georges de La Tour

"Maestro Georges de La Tour, pittore [...], si rende odioso alla gente per il numero enorme di cani che alleva, tanto levrieri quanto *épagneuls*, come se fosse il signore del luogo; caccia le lepri fra le messi, rovinandole e schiacciandole [...]". Questo, il solo giudizio su La Tour che ci sia giunto dai suoi contemporanei. Dove scoprire l'artista che dipinse il *Giobbe* o il *San Sebastiano*? Gli archivi hanno tramandato oltre un centinaio di documenti che lo riguardano; documenti che stabiliscono alcuni punti fissi, ma che non possono renderne la psicologia. La nascita di un figlio, l'affitto di una casa, la cessione di una rendita, una firma il giorno in cui un vicino dà in sposa la figlia o prende a prestito qualche staio di grano: moneta spicciola, in un tempo in cui tutto avviene davanti al notaio o al parroco. Ma nessuna lettera, nessuna confidenza di un appassionato d'arte o di un amico. Dobbiamo immaginare La Tour partendo da quei pochi sgradevoli righi.

Essi sconcertarono profondamente i suoi primi ammiratori. Ma oggi non rimane che una pattuglia di intrepidi che vedono nel pittore delle *Maddalene* una sorta di santo laico, un mistico preoccupato soltanto dell'assoluto. E al tempo stesso svanisce l'aureola postuma di "pittore socialista", quale si sarebbe voluto imporre al figlio del fornaio che preferì Lunéville alle corti di Francia e di Lorena, al creatore di quel *Suonatore di ghironda* che pareva denunciare a gran voce la miseria del proletariato. I critici dimenticarono di chiedersi quale credito meritasse la frase tratta da una supplica che gli abitanti di Lunéville avevano indirizzato al duca di Lorena in esilio, per lamentarsi dell'amministrazione del re di Francia, una supplica che evidentemente denigrava un artista protetto dal governatore del re...

L'immagine che si definisce ai nostri occhi non riguarda dunque un pittore immerso nella meditazione, bensì un cavaliere dagli stivali a soffietto, grande cacciatore e appassionato di cani, che a Lunéville conduce l'esistenza di un notabile incurante dell'opinione popolare. Altri due documenti completano quest'immagine: nel 1648 bastona una guardia e nel 1650 le dà di santa ragione a un "agricoltore" che ha provocato dei guasti in una delle sue terre. Ancora meno di un secolo fa si sarebbero potuti trovare in qualsiasi borgo lorenese signorotti locali di questo tipo, forti delle proprie parentele, delle proprie relazioni e delle proprie ricchezze, pronti a calare il bastone, simbolo della loro potenza, sulle schiene de-

gli irrispettosi. Invidiati e criticati, talvolta anche ad alta voce: ma in fondo riveriti e accettati.

Questo costituisce, naturalmente, soltanto l'aspetto esteriore della personalità dell'artista. Come andare più a fondo? Non possediamo alcun ritratto, né dipinto né inciso, che possa, per quanto poco, illuminarci sul suo carattere. Confessiamo di non sapere nulla né dei suoi amori né della sua vita familiare. Si è creduto più semplice decifrare i suoi sentimenti religiosi. Era naturale che si volesse supporre nel pittore della *Natività* l'ispirazione della fede. Gli studiosi gli attribuiscono la devozione di un creatore medievale e arrivano a scorgere in lui, al momento della morte, un terziario francescano. Forse avrebbero dovuto ricordare che è molto difficile risalire dalle opere alla persona, e che un pittore che abbia dipinto varie *Maddalene* e *San Giuseppe* non è necessariamente disposto a indossare il saio...

Cerchiamo di chiarire meglio. Di solito, un pittore credente illustra le verità della fede, ma non persegue, attraverso la pittura, la scoperta di una verità spirituale. Philippe de Champaigne, per esempio, cerca la salvezza nell'insegnamento giansenista, non nell'arte. Ma La Tour non è un illustratore: se tratta un tema religioso, lo ricrea. Di opera in opera egli conduce una meditazione personale, che tocca i grandi problemi della condizione umana. Avrebbe sentito il bisogno di chiedere al pennello certezze di questo tipo, se avesse profondamente vissuto quelle della religione? Si può per lo meno dubitarne. Non sapremo mai, però, se egli ebbe semplicemente una fede cieca, o se i viaggi, le consuetudini di bottega, un probabile soggiorno in via Margutta o in via del Babuino lo avessero, come si diceva, "scaltrito", e se, sull'esempio di tanti altri, egli si accontentasse di salvaguardare le apparenze, mentre vedeva con ironia moltiplicarsi intorno a lui gli eccessi di superstizione e di violenza da una parte, e di religiosità dall'altra. Per gli uomini del Seicento, solo le confidenze intime possono svelarci il segreto dei veri sentimenti religiosi.

Non potendo descriverne la psicologia, sarà possibile scoprire qualcuna delle molle segrete della personalità? A questo scopo il nostro tempo si serve volentieri di metodi vaghi ma perentori. Lasciamo stare la psicanalisi; sugli artisti essa non ha mai detto altro che frottole prive di valore, anche se alla moda. E proprio la figura di La Tour potrebbe costituire l'insidia più pericolosa. Ma lo storico cede sempre alla tentazione di trovare un chiarimento nella situazione e nell'ambiente. Un figlio di artigiani che si eleva con fatica fino alla società dei borghesi e dei signorotti e che si chiude a Lunéville per meglio integrarsi in questa cl. _e aggrappata ai suoi privilegi ma ormai sorpassata e oppr_ a dalle lotte fra monarchie: un'immagine che concorda con l'acuta descrizione dei temi realistici, la tensione interiore dei notturni, la gravità pessimistica degli ultimi dipinti. Essa fa intendere il rifiuto di aprire il fondo dei quadri sulla natura, il ripiegamento volontario su se stesso e su un universo da lui stesso fabbricato, per finire nello stretto spazio circondato di tenebre e messo in luce da una modesta candela. Tutto questo concorda pienamente, e forse contiene anche una parte di verità. Ma è giusto cercarvi la vera chiave per l'intendimento di La Tour?

È facile giocare a posteriori su queste correlazioni. Ma chi, partendo dai soli elementi storici accertati, avrebbe potuto prevedere i veri lineamenti dell'arte di La Tour prima che se ne ritrovassero le opere? Chi potrebbe spingersi a indicare i limiti del suo pensiero, se ancora è possibile qualche scoperta che ne modifichi il senso? Non dimentichiamolo: altri due artisti hanno vissuto nello stesso ambiente, Callot e Deruet. I tre lorenesi hanno più o meno la stessa età, compiono un apprendistato simile, mostrano ambizioni analoghe; sono al servizio del medesimo duca, sono tutti e tre apprezzati da Luigi XIII, attraversano le stesse vicende storiche. Carriera, fortuna, clientela appaiono del tutto pari. Eppure, quali espressioni artistiche risultano più intimamente opposte? Non vi è nulla in comune fra le vaste scenografie di Claude Deruet ove si agitano piccoli personaggi da commedia, la cronaca incisiva e volutamente distaccata di Callot, e l'immobile meditazione di La Tour.

L'interpretazione storica denuncia quindi da sé i propri limiti. La Tour, pittore troppo a lungo ignorato e ancor oggi circondato da troppe incognite, offre un margine assai angusto e pericoloso al ragionamento; e forse, in ogni caso, aveva troppo genio per non sottrarsi. Riconosciamo dunque che manca la chiave per intendere l'uomo e la sua creazione, e rivolgiamoci direttamente alle opere.

* * *

La cronologia è incerta. Solo due dipinti sono datati; tutto il resto non va oltre la deduzione e l'ipotesi. E tuttavia di tela in tela si disegna una connessione, suggerita dai documenti e precisata dalle affinità di fattura e di spirito. Nel complesso, essa conduce dai dipinti 'diurni' alle grandi composizioni notturne; e dalle opere naturalistiche a quelle più stilizzate, più 'cubiste', più profonde. È possibile sin d'ora seguire questo esile filo e dedurre, dalle sparse vestigia della produzione, un itinerario spirituale? Vorremmo tentarlo, non tanto come commento quanto come ipotesi, che solo le nuove eventuali scoperte potranno confermare o inficiare.

Al principio l'ispirazione appare del tutto realistica. La Tour dipinge un vecchio, una vecchia (*Catalogo*, n. 2, 3), un cieco che suona la ghironda (n. 6); non risparmia una ruga, insiste sugli occhi cisposi, sulle rade capigliature, le cicatrici, la frangia del vestito liso. Anche il mondo sacro conserva un aspetto popolare: gli Apostoli (n. 7-19), vecchi e calvi, assumono l'aspetto di mendicanti, di pellegrini, di zotici dal viso segnato, e sono vestiti più o meno secondo il costume contemporaneo. Viene applicata fedelmente la lezione che il Caravaggio aveva dato con la *Vocazione di san Matteo* e la *Morte della Vergine*.

Nel *Vecchio* e nella *Vecchia* di San Francisco (n. 2, 3), questo realismo conserva almeno in apparenza un'obiettiva serenità e si adorna di colori chiari e raffinati. Ma una sfumatura drammatica sembra introdursi a poco a poco. Tra la grande figura del *Suonatore di ghironda* di Bergues (n. 6), ancora così monumentale nella sua rovina, e quella del *Suonatore di ghironda* di Nantes (n. 25), dove Mérimée e Stendhal avvertivano una "verità plebea e spaventosa", la sfumatura si coglie abbastanza bene. Guardiamoci dal considerarla una semplice ricerca del pittoresco. Siamo assai lontani dai pittori fiamminghi di genere, che si fanno beffe dei loro personaggi da kermesse, e vogliono che anche il pubblico ne rida. Nessuna derisione in La Tour, nemmeno quando ci mostra un mendicante irsuto che raglia una canzone con la mascella di traverso; d'altra parte, neppure alcun compiacimento. La Tour mantiene il suo distacco, e soltanto il cane, nel quadro di Bergues, sembra dipinto con vero senso di complicità. Eppure, proprio da qui nasce quel 'patetico' che il realismo ha tante volte incontrato, sia nei dipinti degli spagnoli sia negli scritti di Zola.

Si è indotti a pensare che in quel momento si formasse in La Tour un sentimento della vita più o meno venato di stoicismo. Se la verità del mondo è infelicità e bruttura, le passioni appaiono solo vana commedia. La *Rissa di musicanti* (n. 22) si congela in severa geometria. La disputa non è benevola: ne testimonia, in primo piano, la lama sottile del piccolo coltello. Ma la voluta architettura della tela rivela immediatamente la lezione morale. Da un lato la donna che piange, dall'altro l'uomo che ride: così va il mondo. E a destra un violinista beffardo trae la conclusione: senza dubbio quella stessa che un incisore aggiunse in calce a un'altra *Rissa* dovuta a Bellange: "Mendicus mendico invidet", cioè un miserabile trova sempre uno più malandato di lui, che invidia la sua miseria.

Le ultime opere 'diurne', come la *Buona ventura* (n. 29) e i due *Bari* (n. 28, 30), giocano ancor più liberamente sul tema della farsa, ma mescolandovi uno strano senso di gravità e di ironia. Arrivato senza dubbio all'apice della sua maestria, La Tour si compiace ancora in queste tele di esaltare lo splendore di un viso giovanile messo in rilievo da una collana di perline, o i riflessi di un raso, di un vino color granato nel bicchiere soffiato, d'un braccialetto di perle.

Ma, nel tempo stesso, egli denuncia le illusioni. Il giovane che avanza goffo e avido in questo mondo pieno di promesse, che crede alla buona ventura predetta dalla zingara, che sogna i piaceri dell'amore, del vino e del gioco proposti dalla cortigiana, sarà dileggiato da tutti. Qui, le carte truccate già escono dalla cintura del cattivo compagno; là, nascosto nell'ombra, s'intravede un gioco di mani complici e rapaci. E, accanto al più luminoso viso di fanciulla che sia stato dipinto prima di Renoir, l'abbietta faccia della zingara, simile a quella della vecchia del *Testamento* di Villon, ricorda che anche la bellezza è solo un'impostura transitoria. Non esiste altra difesa che disprezzare le mutevoli apparenze delle cose, per rivolgersi, come san Gerolamo in meditazione o in penitenza (n. 21, 26 e 31), verso le verità eterne. Solo la legge morale conduce alla certezza. L'ascesi è dura: la corda con cui san Gerolamo si flagella è macchiata di sangue; ma il gran vecchio col pugno chiuso sulla croce appare, nella sua decrepitezza e nudità, una delle figure più nobili proposte da La Tour.

Non va dimenticato che certamente fin da allora avevano avuto inizio le sventure della Lorena, prima fra tutte la peste, crudele richiamo alla vanità del mondo. Lo stoicismo, diffuso in tutto il Seicento, trova in quel paese un ambiente favorevole: lo esprimono non solo gli umanisti, ma la stessa morale religiosa, in particolare tra i francescani. Del resto, fra il 1630 e il '40 sembra svilupparsi un po' dovunque un senso di irrigidimento e di disciplina. Si respingono le passioni incontrollate, per quanto nobili, e si fa appello alla volontà e alla legge morale. Il *Cid* di Corneille è del 1636, del 1637 il *Discorso sul metodo* di Cartesio, la *Manna* di Poussin di quello stesso anno. Opere come i vari *San Gerolamo* di La Tour s'inscrivono perfettamente in tale contesto. All'inizio il realismo fu senza dubbio soltanto un'eredità della tradizione caravaggesca; ma La Tour lo trae al punto estremo in cui esso esprime una lezione morale che si collega a quelle, d'origine ben diversa, di un Corneille o di un Poussin.

Ora, in quel momento stesso il realismo si distrugge da sé. Presto ne rimarrà soltanto la scorza: volti che rifiutano di modellarsi su un tipo astratto, santi in costume contemporaneo, secondo la vecchia lezione del Caravaggio. Contadini lorenesi porteranno il loro tributo a un Gesù in fasce e a una Vergine vestita di bigello (n. 50), mentre un'Irene in corsetto a stecche veglierà un san Sebastiano il cui elmo d'acciaio brilla al suolo (n. 64, 65). Ma, davanti alla semplificazione dei piani, davanti alla stilizzazione monumentale delle figure, è ancora possibile parlare di realismo?

* * *

A partire dalla metà della sua carriera, sembra che La Tour voglia fare di ciascuna delle proprie tele una sorta di meditazione conchiusa in sé, o piuttosto — dato che le opere continuano a illuminarsi e arricchirsi nel rapporto recipro-co — protese a toccare ogni volta uno dei problemi essenziali della condizione umana. Sebbene i temi e ancor più l'ambientazione siano così diversi, si pensa ai dipinti in cui Poussin, quegli stessi anni, sceglie un argomento più o meno banale delle Scritture o della storia antica per farne sgorgare verità universali. La scelta dei notturni, sicuramente trattati assai presto ma che sembrano ormai la specialità di La Tour, fu il mezzo per guadagnarsi un pubblico francese, se non parigino, che non era abituato al caravaggismo e poteva trovare in esso l'allettamento della novità? Fu invece una conversione dovuta a qualche viaggio, a nuov' rapporti, o semplicemente a lucidità d'ingegno? La risposta non è molto importante. L'essenziale è che quei notturni gli permetteranno di sviluppare e approfondire in modo stupendo il suo pensiero e di portare ogni opera a quel punto di sobrietà ed emozione che diverrà una specie di *exemplum* al di là dei dati temporali e topografici.

Fin dal periodo dei 'diurni' La Tour è giunto a tale contrapposizione fra vanità del mondo e dignità dell'ascesi morale. Il primo *San Sebastiano* (n. 41), di cui purtroppo è andato perduto l'originale, riprende al livello nobile e doloroso del poema tragico l'idea dello sforzo eroico e del sacrificio; ricordiamo che il dipinto risale forse agli anni 1638-39, e che il *Polyeucte* di Corneille è del 1640. Il giovane capitano, che ha rischiato la vita per la fede, si trova disarmato, nudo, ferito e abbandonato nella notte. Nello spazio stretto e mobile illuminato dalla fiamma di una lanterna, s'intreccia fra la sofferenza dell'uomo e la pietà della donna un dialogo simile a una comunione amorosa. Ma la santa infermiera dagli occhi abbassati sa che si tratta solo di una breve dilazione, prima del nuovo supplizio e della morte. Con maggior semplicità ma non minor forza, le differenti versioni della *Maddalena* (n. 32, 34, 39, 40, 45, 47) e di *San Francesco* (n. 33, 36, 37) insistono sull'idea dell'ascesi. La fiamma, simbolo del tempo che si consuma, lo specchio, simbolo della fragilità e dell'illusione, attraggono lo sguardo della Maddalena, sul punto di abbandonare gli ornamenti o già tranquilla nella povertà. Il teschio, che si celava dietro il libro di Gerolamo, riappare sotto le mani incrociate della santa e sotto le dita di Francesco. Entrambi abbandonano un mondo ingannevole, vestono il saio e il cilicio, scelgono la solitudine e l'austerità. Sembra che anche l'arte di La Tour in quegli anni si spogli di ciò che le resta di spirito mondano. La *Maddalena Fabius* (n. 39) traccia ancora un gesto elegante che non stupirebbe sotto il pennello di un Vouet, e che sparisce nella *Maddalena Terff* (n. 47). Il *San Francesco* inciso (n. 33) conserva una fierezza da gran signore che il *San Francesco* di Le Mans (n. 36), dalla testa arrovesciata e la bocca aperta come un morto, ha ormai perduto. E la sfumatura romantica che addolciva il *San Sebastiano* (n. 41), così prossima all'estremo colloquio fra Tancredi ed Erminia, non si ritroverà più.

Però in questo periodo appaiono nella produzione di La Tour le prime figure infantili. È strano che non se ne incontri alcuna nella serie di tele 'diurne' pervenute. La più antica è senza dubbio quella del *Ragazzo Granville* (n. 42). Un tema banale, tante volte trattato nella scia del Bassano dai caravaggeschi nordici: un ragazzotto dal viso sgradevole, deformato dal gesto quotidiano di accendere una lampada. Ma lo splendore dello stoppino fa sorgere dalla tenebra silenziosa una presenza: quella di una creatura semplice, quasi senza pensiero e senza passato, che nella sua stessa semplicità rivela d'improvviso l'infinito valore che risiede in qualunque essere umano.

Perché il fanciullo è speranza di vita in un mondo promesso alla morte. Anteriore al suo destino, quindi alla scelta morale che questo suppone, impersona l'innocenza fra le brutture e la corruzione. Poco importa che sia un garzone di bottega o Gesù stesso, un angelo o Maria bambina. La Tour lo contrappone in una sorta di muto dialogo al vecchio segnato dall'esperienza e dalle cicatrici. I caravaggeschi, e lo stesso Caravaggio, avevano mostrato quale carica poetica si potesse generare accostando a un san Matteo barbuto, rugoso, appesantito dall'età, la fresca grazia dell'angelo adolescente. La Tour eleva il contrasto al più alto grado di significato metafisico. La luce di una candela che l'inonda conferisce sembianze immateriali a un profilo infantile (n. 43); e, oltre i confini dell'innocenza stessa, quella certezza spirituale che è dono divino (n. 44). Di fronte a lui Giuseppe, assorto nel lavoro quotidiano, serio e come cieco, ignora l'alto destino che sta preparando, né si accorge che la trave segata assume la forma di croce. Oppure nel sonno più profondo, nel momento di più umile abbandono, ecco il vecchio, fino allora uguale a ogni altro, improvvisamente colto dall'illuminazione (n. 44). Perché dubitare che La Tour voglia qui adombrare il problema centrale del Seicento, non solo per i teologi ma per tutti gli spiriti, cioè quello della Grazia?

Di fronte alla Vergine bambina, sant'Anna sembra più consapevole (n. 52, 54). Le donne di La Tour non hanno mai l'aspetto logoro e la pesante materialità dei vecchi. Il contrasto poetico si rovescia, mettendo a confronto un essere fragile con un adulto che sa o presente per quali vie fatali e necessariamente dolorose si compirà il destino del piccolo. È questo sentimento che si riscontra nelle diverse *Natività*: la più ambiziosa, che conosciamo solo attraverso l'incisione (n. 35); la più commossa, quella del Louvre (n. 50); la più sublime, che resta la tela di Rennes, uno dei culmini nella produzione dell'artista (n. 57). Strettamente serrato nei lini, ancora addormentato d'un sonno quasi animale, il bimbo è solo una promessa di vita protetta dalle donne. In sua presenza, nessuna gioia, nessun sorriso, ma solo gravità di fronte a un destino che comincia, in un mondo d'illusioni e di sofferenze. Tuttavia, al di là di qualunque pensiero e meglio che con qualsiasi parola, La Tour esprime la maternità, e il legame, fatto di possesso, di sollecitudine e di speranza, tra la vita che si compie e la vita che comincia.

S'inserisce così nell'opera di La Tour una nuova dimen-

sione. Per l'artista, che ebbe almeno dieci figli e ne dovette perdere sette, alcuni ancora in fasce, la meditazione sull'infanzia non significa allegrezza o serenità; ma apporta, nella tensione di un universo pessimistico, una specie di misericordia. Se si sopprimessero nella produzione di La Tour le opere dove figurano i bambini (e, così raramente, innocenti e gravi, gli animali [n. 50, 51]), il suo mondo apparirebbe fra i più sconsolati che mai pittore abbia espresso.

Lo sforzo morale infatti non ha mai la certezza della ricompensa: la grazia può venir meno in qualsiasi momento. Il più fervente, il più provato, sarà forse il primo a cedere. La serie del *Pentimento di san Pietro* (n. 5, 51, 62) ricorda spietatamente che il discepolo più fedele, quello che Cristo aveva scelto per affidargli le chiavi, rinnegò il Signore prima del canto del gallo. Fin dalla prima versione a noi nota (n. 5), La Tour inventa quel gesto delle mani serrate l'una sull'altra, in una sorta di tragica sorpresa e di rimorso, di tremore e di supplica, in cui si traduce l'emozione davanti al riconoscimento della colpa. E una delle ultime opere di La Tour sarà proprio la *Negazione di san Pietro* (n. 68), in cui la soldatesca ostenta in primo piano la sua volgare allegria, mentre in un angolo il vecchio impaurito è ridotto alla menzogna e al tradimento.

Con una specie di drammatizzazione che risponde più allo spirito del tempo che alle tradizioni iconografiche, La Tour tende a mostrare non solo la fermezza del santo e del saggio attraverso le prove, gli sforzi e le sconfitte, ma la lezione che essa comporta. Anche qui, egli vuole creare un dialogo. Non gli basta Alessio sotto la scala dove viene a concludersi la cruda serie delle sue privazioni; introduce il personaggio del giovane paggio, trasformando l'episodio in azione drammatica (n. 61). Senza spavento, ma come se stesse per piangere, il giovinetto scopre contemporaneamente la morte del maestro e l'insegnamento ascetico che gli trasmette. Non si è mai trovata una raffigurazione della leggenda simile a questa. Il *Giobbe* di Epinal (n. 66) è di poco più conforme alle presentazioni usuali. Più importante del vecchio immerso nell'ombra diviene la moglie, profilo interrogatore che si leva sopra la massiccia torre delle gonne, o piuttosto il dialogo che si stabilisce fra l'anima semplice, sdegnata dal volgere della sorte, e l'anima forte che respinge la disperazione e la negazione.

Ma proprio questo dialogo 'classico' introduce fin nella tensione stoica un che di patetica tenerezza. La moglie di Giobbe non è più una megera ghignante. Il punto d'equilibrio del pensiero o, se si vuole, della poesia va forse cercato nel *San Sebastiano con torcia* (n. 64), senza dubbio il più celebre fra i dipinti di La Tour e anche, a causa dei cinque personaggi raffigurati, il più ambizioso fra quelli a noi giunti. Questa seconda versione, che deve risalire al 1649, cioè a circa due anni prima della morte, abolisce quella sorta di complicità amorosa che si intrecciava nel *San Sebastiano con lanterna* (n. 41). Il giovane santo appare più virile, coi baffetti disegnati agli angoli delle labbra. Come morto, secondo la tradizione della *Passio Sebastiani* è allo stremo delle sofferenze, e la mano di Irene non osa altro che sollevargli il polso. Ma la pietà si esprime con forza anche maggiore, una profonda pietà umana che fa scivolare sui chiusi volti una lacrima involontaria. Sopra questo corpo perso nella sofferenza, il silenzio delle donne che s'inginocchiano, scandito dalle grandi verticali, sembra il compianto di un coro antico davanti alla crudeltà del destino.

* * *

Di questo stoicismo, di questo sforzo per mantenere, in anni di spaventose sciagure, il rigore della tensione spirituale, di questo bisogno di ricordare, di fronte all'avvilimento che nasce dalla miseria fisica, il valore dei corpi e delle anime e la pietà che meritano, abbiamo altri esempi nella Lorena del tempo. L'ispirazione di La Tour, come abbiamo detto, non ha nulla di sorprendente. L'avvocato Haraudel mostra sentimenti analoghi quando, nella lunga elegia sulle sventure della Lorena, evoca il paese colpito dai mali

De Peste, de Famine, et de la Guerre ensemble, [1]

---

[1] Della peste, della carestia e della guerra insieme.

e ne trae una lezione di umiltà e di fermezza:

> Le point considérable et toute l'importance
> Consiste à bien mourir, non à la différence
> Quand, comment, en quel lieu, et par quel accident
> De Guerre, de Famine, ou d'un air pestilent [...]. [2]

Ma, per quanto aperto e commovente, il poema rimane solo un'esercitazione di letterato. Il privilegio di La Tour consiste nel dare a questa esperienza, attraverso la lenta maturazione artistica, un valore universale. Il piccolo volume che riunisce i testi di Paul Jamot e le riproduzioni dei principali dipinti di La Tour venne letto con fervore nei campi di prigionia; il poeta René Char aveva una fotografia del *Giobbe* nel suo zaino di partigiano a Céreste. Nel momento in cui di nuovo infieriva la guerra con le sue miserie e le sue degenerazioni, le opere del pittore lorenese trovavano risonanza più profonda. Oggi, mentre la pittura accetta di svincolarsi da qualsiasi significato o si accontenta dell'illustrazione più semplicistica, non è forse inutile ricordare che l'alto destino di un artista può, per sua propria essenza e nella misura in cui è ricerca e creazione di un linguaggio, essere insieme ansia spirituale e lezione di moralità.

JACQUES THUILLIER

---

[2] Il punto essenziale, tutto ciò che conta si riduce nel morire bene, e non nella differenza del quando, del come, del dove e per quale accidente, di guerra, di carestia e di peste [...].

Georges de La Tour *Itinerario di un'avventura critica*

1835. Museo di Nantes

Il catalogo attribuisce a Murillo un *Cieco che canta e suona la ghironda* d'una verità plebea e spaventosa. Senza dubbio questa figura appartiene a un artista spagnolo della scuola di Siviglia; ma il Murillo della prima maniera usa una tavolozza più scura, mentre le sue ultime opere sono prive dell'aridità che si nota in questo dipinto. Lo attribuirei piuttosto a Velázquez, che agli inizi si esercitò in temi triviali, e che nelle prime opere non lasciava per nulla presagire il fare aggraziato e soave che rivelò alla fine della carriera.[1]

P. MÉRIMÉE, *Notes d'un voyage dans l'Ouest de la France...*, 1836

[...] N. 17 [del Museo di Nantes] - *Vecchio che suona la ghironda*. D'una verità plebea e spaventosa; dipinto spagnolo attribuito a Murillo. Non privo di qualità. Colore quieto, espressione vera. Proviene dal *Musée Napoléon*. Forse è di Velázquez, che, agli inizi, si esercitò in temi triviali.

STENDHAL, *Mémoires d'un touriste*, 1838

1863. Museo di Rennes

[...] quello che veramente appare sublime è un dipinto olandese, il *Neonato*, attribuito a Lenain [*sic*]: due donne vegliano un bimbo di otto giorni addormentato. Vi si scorge tutto ciò che la fisiologia può rivelare sugli inizi della vita umana. Nessuna parola può esprimere il sonno profondo, integrale, simile a quello che il piccolo dormiva soltanto otto giorni prima nel grembo della madre: la fronte senza capelli, gli occhi senza ciglia, il labbro inferiore abbassato, la bocca e il naso dischiusi, quasi semplici buchi per respirare, la pelle unita e lucida appena toccata dall'aria, tutto un abbandono primitivo alla vita puramente vegetativa. Il labbro superiore è rialzato; tutto l'impegno sta nel respirare. Il corpicino è insaccato e serrato nei bianchi lini rigidi, come le bende di una mummia. Impossibile rendere più efficacemente il profondo torpore primitivo, l'anima ancora immersa nelle tenebre. L'immagine viene messa in rilievo dall'aria ottusa della madre, dalla semplicità e dalla durezza del rosso intenso dell'abito, che getta un caldo riflesso su quella piccola massa di carne morbida.

Gli elementi che accrescono l'impressione d'im-

---

[1] Stendhal, del resto secondo un costume dimostrato anche in altre occasioni, riprese questo giudizio (si veda il brano pubblicato qui di seguito), in parte alla lettera, in parte parafrasandolo.

mobilità, di mera esistenza animale sono: il piccolo naso all'insù, come una pallina di carne arrossata dall'afflusso del sangue, con la pelle tanto sottile da sembrare invisibile; – la fronte perfettamente liscia, senza una piega o una ruga, grassa, lucida, bombata, con la carne che tutto ricopre; – la superficie uniformemente liscia di tutto il volto, vegetativamente coperta di una carne senza pensiero, una carne molle in cui il semplice tocco di un dito basterebbe a lasciare una fossetta; solo la pienezza di una nascente vitalità può gonfiare e sostenere una polpa così docile e impregnata di umidore; – la sottile fessura lievemente più rilevata che segna le palpebre chiuse, ove le ciglia bionde sono impercettibili e appena spuntate; – il rosa porporino, linfatico e sanguigno, grasso e quasi rubizzo di tutto il viso, sul bianco crudo e sulla grande piega del lino che lo avviluppa tutto quanto; – infine l'aspetto nettamente fiammingo, il volto della pecora pacifica della giovane madre, e la calma da giovenca fiamminga della donna di mezz'età che regge il lume.

L'impressione dominante in tutta la tela è che il pittore sia in realtà un semplice creatore di corpi. Il tema non conta. Come è riuscito l'artista a cogliere la realtà fisica colorata e viva, con quali mezzi, con quale profondità ha saputo restituirla? Quanto più un uomo è pittore, tanto più si trova continuamente, eternamente impegnato a ricreare il vero.

H. TAINE, *Carnets de voyage. Notes sur la Province*, 1896

Al Museo di Rennes

Come il buon La Fontaine domandava a chi gli capitava a tiro: "Avete letto Baruch?", io chiederei volentieri a tutti: "Conoscete Le Nain?". Conoscete soprattutto lo strano e delizioso dipinto del Museo di Rennes, quella *Natività* immersa nell'ombra, dove umili, tenere, dolci figure si illuminano del riflesso di un chiarore misterioso? Quest'opera mi turba. Ogni volta che sono tornato a Rennes, l'ho trovata sempre più affascinante. È una meraviglia di sentimento, di candore, di originalità. In quel tempo, fuori di Spagna, non c'erano che Rembrandt e Vermeer che sapessero mostrare tanto ardimento nella concezione e tanta sensibilità nella resa intima dell'essere umano [...].

Al Museo di Nantes

Eccoci davanti a una creazione straordinaria dell'arte pittorica, il *Suonatore di ghironda* della collezione Cacault. Una gamma rossiccia, monocorde, di straordinaria delicatezza, rotta appena dall'arancio dei calzoni e dal rosa granata dei nastri, avvolge un'atmosfera tranquilla ba-

gnata d'aria e di luce. [...] Dipinto toccante, solido, espressivo, naturale in ogni sua intenzione. La nuova sistemazione del museo dovrà riservare al *Suonatore di ghironda* [...] un posto a parte, di rilievo. Per opere di questa qualità occorre una vera cappella.

GONSE, *Les chefs d'oeuvre des Musées de France. La peinture*, 1900

La concordanza tra gli elementi forniti dai testi lorenesi, e i temi, la firma, la data e lo stile dei dipinti a Nantes [*L'angelo appare a san Giuseppe*, *Negazione di san Pietro*] consentono di attribuire questi ultimi a La Tour di Lunéville. In lui scopriamo un artista che prosegue la tradizione dei 'notturni' della cerchia caravaggesca, soprattutto di Gerard Honthorst e della sua scuola, con una maniera un po' provinciale, ma tipica e personale. All'uso rigido della linea, alla durezza del disegno nelle figure fa riscontro un colore veramente considerevole, sebbene del pari tagliente e arbitrario, ove dominano i cinabri e i lilla. Alle tele di Nantes si collega la *Natività* di Rennes, stilisticamente prossima sotto ogni aspetto. [...] Una composizione che s'imparenta a esse, e che senza dubbio rinvia a un dipinto di La Tour, mi è nota attraverso una incisione [...] che porta, certo erroneamente, il nome di Jacques Callot [...].

H. VOSS, "Archiv für Kunstgeschichte", 1915

Il carattere che più colpisce nelle sue opere è prima di tutto l'assenza di qualsiasi esasperata pateticità nell'attuazione del tema. Tutto è calmo, semplice, naturale. Di modo che un dipinto religioso – per esempio, l'*Adorazione dei pastori* al Louvre – non si differenzia, per intensità emotiva, da una delle sue tele di tema profano, come la *Madre con bambino* [il *Neonato*] di Rennes. Il senso d'intima tenerezza che pervade tali opere appare ancor più insolito, in quanto il pittore si avvale di ampie superfici nitidamente composte, a mo' di bassorilievi, dove le direttrici compositive tendono al monumentale. Da un lato si accentua il naturalismo, con personaggi i cui visi rivelano un realismo originale, molto marcato (dipinti del Louvre e del Museo di Rennes), dall'altro si instaura il linguaggio formale di un'arte profondamente idealistica (*San Sebastiano* del Museo di Berlino), che presuppone la conoscenza della pittura italiana del Cinquecento. Sebbene Georges de La Tour non venga citato nei documenti italiani dell'epoca, si può pensare che egli si sia ispirato ai pittori toscani nella cerchia del Caravaggio, in particolare a Orazio Gentileschi, la cui pittura si accosta per le tendenze classiche a quella dell'artista francese. Ma la vera originalità dell'arte di Georges de La Tour risiede nella tavolozza. Egli impiega sovente un rosso vermiglio e un tenero violetto dei quali non esistono precedenti in Italia. Si potrebbero piuttosto rintracciare toni analoghi in Olanda, in certi dipinti di Terbrugghen (si veda per esempio il quadro di Berlino). Sarà forse utile infine accennare ai possibili rapporti fra l'arte di La Tour e quella di Callot. Noi non pretendiamo tuttavia di essere riusciti a definire lo stile di La Tour: la sua arte rimane difficile da collocare, dato che le forme da lui create sono ora realistiche, ora idealistiche, ora permeate di manierismo.

V. BLOCH, *Georges (Dumesnil) de La Tour*,
"Formes", dicembre 1930

[...] Senza dubbio è questa ruvidezza, questo primitivismo naturalistico privo di tentennamenti a richiamare da vicino l'arte spagnola, specie Zurbarán. Però codesta analogia rimane puramente esteriore; non tocca il fondo della concezione artistica. La severità e la semplicità di Zurbarán possiedono nonostante tutto una potenza dinamica, una franchezza meridionale e una concentrazione di slanci che non possono assolutamente confrontarsi con il disegno angoloso degli artisti nordici e il carattere di meditata analisi del *Suonatore di ghironda* e del *San Gerolamo* [di La Tour]. Si segua per esempio il profilo della composizione, spezzata in più punti, sulla destra del *Suonatore di ghironda*, oppure il tipico isolamento, quasi si trattasse di nature morte, di alcuni particolari dello strumento musicale e di altri pezzi 'inanimati' in primo piano. Simili interruzioni nello slancio ritmico sono profondamente estranee all'impeto monumentale di uno Zurbarán e degli altri pittori realistici spagnoli. La concezione lineare di La Tour si manifesta con una predilezione per il particolare, per la forma risoluta, a spigoli vivi. Egli esplora le superfici e i contorni delle cose con acuta precisione, senza alcuna repugnanza per la loro crudezza; anzi sembra compiacersi delle irregolarità che reperisce nella loro struttura. La Tour è artista legato alle stilizzazioni nordiche, che però affronta a suo rischio e pericolo i temi favoriti dei realisti meridionali; ma sono temi non facili da trattare applicando una regola del genere. Per questo La Tour è uno spirito troppo 'sperimentatore', che talvolta sceglie i propri mezzi con un calcolo eccessivo. E tuttavia egli riesce sempre a stupire e a sedurre con l'audacia paradossale del suo colore e con un'armonia che coordina, al di là di qualsiasi convenzione, gli elementi più disparati, per quanto severi e contraddittori. Questa aspra armonia è la prova delle sue eccezionali qualità pittoriche.

H. VOSS, *Tableaux à éclairage diurne de G. de La Tour*,
"Formes", giugno 1931

[...] Tra i pezzi più rari [esposti nel 1932 alla Royal Academy di Londra, nella rassegna "L'Art français, 1200-1900"], i due quadri del maestrino di Lunéville, La Tour-Dumesnil: il *Neonato*, di cui ho sempre ammirato al museo di Rennes i fiammeggianti toni rossi, e i *Bari*, una tela di proprietà privata, dalle figure espressive e dai ricchi abiti screziati. Questo piccolo provinciale, esposto per la prima volta in una grande mostra, ci conduce naturalmente ai Le Nain, vanto della sala [...].

A. DEZARROIS, *L'Art français à Londres*,
"Revue de l'Art ancien et moderne", febbraio 1932

[All'esposizione suddetta nella Royal Academy di Londra] il caravaggismo è rappresentato da due dipinti di G. Dumesnil de La Tour, una *Natività* proveniente da Rennes, piacevole ma inferiore alla tela di Berlino, e il *Baro* di M. P. Landry, greve, mal colorato e di cattivo gusto. Non capisco il rumore che si è fatto in questi ultimi tempi attorno a questo caravaggista meno importante di un Terbrugghen, di un Manfredi o di un Valentin [...].

G. ISARLO[v], *La peinture française à l'exposition de Londres 1932*, 1932

[A proposito della mostra "Peintres de la Réalité à l'Orangerie"] In questi giorni se ne leggono delle apologie ingegnosissime.
– Lei dovrebbe vederlo! È un pittore sorprendente. Non abbiamo strumenti per misurare il genio; ma sento che il talento del De La Tour spezzerebbe più di un manometro. È un peccato che non abbiamo nulla di suo in Italia. Sebbene firmasse latinizzando, è probabile che non abbia mai fatto il viaggio di Roma. Ed è forse per questo che sa dare, ai principi caravaggeschi, un'interpretazione così a parte, per nulla servile. Magari gli sarà bastato quello che gli raccontavano il Callot o il Le Clerc di ritorno a Nancy, a un passo dai luoghi dove il De la Tour abitò e dipinse per tutta la vita. Lo vedo come il gentiluomo mascherato del caravaggismo, una specie di misterioso dilettante. Direi che, nel movimento caravaggesco, abbia la collocazione che il Savoldo, nobile bresciano, ha nel giorgionismo. Costruisce il suo fortino caravaggesco a Lunéville in Lorena e continua a cristallizzare i suoi effetti di luce fino al 1650, a una data, insomma, che di pittura caravaggesca non se ne faceva più già da un bel pezzo, in nessuna parte del mondo. Si prova nei suoi esperimenti di alchimia caravaggesca chiuso in una torretta, a luce artificiale di lanterna magica o tutt'al più alla luce gialla che filtra durante le grandinate. Starei per dire che, il suo, è un caravaggismo ugonotto. Sia come si vuole, anche le sue decifrazioni d'argomenti religiosi sono le più intelligenti e moderne dopo quelle, scandalose, del Caravaggio: ma più misteriose, esoteriche. La *Visita al prigioniero* [il *Giobbe* di Epinal] non è forse una delle *Sette opere di misericordia* che già il Caravaggio aveva radunate nel celebre quadro di Napoli? [...] il *San Sebastiano* in due esemplari a Rouen e a Orléans, o l'altro del museo di Berlino, pazientemente medicati dalle castellane lorenesi, non suonano attuali titoli di un "ferito nelle guerre di religione"? Il *Neonato* di Rennes non sarà proprio una semplice *Natività* spoglia di nimbi e d'ogni altro attributo soprannaturale, salvo l'artificiosa surrealtà della luce trovata in un angolo di stalla, sotto la mangiatoia? Le ripeto, il De la Tour bisogna vederlo. È indescrivibile.

R. LONGHI, *I pittori della Realtà in Francia, ovvero I caravaggeschi francesi del Seicento*,
"L'Italia letteraria", 19 gennaio 1935

Georges Delatour [*sic*] ha fatto il suo ingresso ufficiale nella storia della pittura francese. La mostra ha fatto conoscere il Delatour 'diurno' e ha dissipato gli ultimi dubbi circa l'autore dello straordinario *Suonatore di ghironda* del museo di Nantes. [...] L'arte di Delatour è sorprendente perché contiene una curiosa mescolanza di primitivo e di ricercato, di forme manieristiche e forme naturalistiche, di serio e grottesco, di imme-

diatezza ed estrema stilizzazione. Quasi tutte le sue opere colpiscono, ma soltanto alcune resteranno. La *Natività* di Rennes e l'*Adorazione dei pastori* del Louvre rivelano affinità spirituali con i dipinti di Le Nain. Apparentemente, però, tutto è diverso: Le Nain non si preoccupa mai dei volumi come Delatour; i suoi contorni non sono così decisi. Le Nain inoltre non segue un procedimento stabilito ma dipinge sempre brancolando, mentre Delatour si avvale di artifici pittorici del repertorio caravaggesco.

V. BLOCH, *Peintres de la Réalité*,
"Beaux-Arts", 8 febbraio 1935

Ormai Georges de La Tour, fino a ieri sconosciuto, è entrato nell'empireo. Questo lorenese, morto a Lunéville nel 1652, figura tra i veri maestri non solo del Seicento, ma di tutta la scuola francese. All'Orangerie egli spartisce, quasi, il primato a Louis Le Nain. Come Le Nain, non è forse 'pittore della realtà' sia nelle composizioni religiose sia nei temi di genere e nelle scene quotidiane? e come Le Nain, non infonde poesia e mistero nelle cose che dipinge con dedizione appassionata? La *Natività* di Rennes, nota anche come il *Neonato*, dove la luce di candela consente di scorgere sui visi convergenti nient'altro che una raccolta e per ciò stesso anche più toccante tenerezza, non è forse una composizione altrettanto originale dei migliori *Benedicite* del grande pittore di Laon? Il duplice titolo che si dà a questa squisita tela non rileva il contenuto di penetrante realismo e di profonda spiritualità che caratterizza le opere di La Tour? Un episodio di vita familiare? o un tema religioso? Si resta perplessi. Ma anche qualora si trattasse di un tema profano, non c'è dubbio che l'essenza dell'opera sia mistica. Tale carattere risulta anche più evidente se si considerano le invenzioni di colore, di tratto, di sentimento e d'espressione che isolano in tutta la pittura del tempo, in Francia e fuori, opere come il *Prigioniero* [il *Giobbe*] del museo di Epinal, ora inteso come *San Pietro liberato dal carcere*, o il dipinto del museo di Nantes raffigurante l'*Angelo che appare a san Giuseppe nel sonno*. In entrambi i casi l'angelo è una fanciulla vestita come le sue coetanee del Seicento; regge una candela e non ha traccia di ali. Ma, chi sa per quale sottigliezza, la visione, immersa nell'ombra salvo la poca luce che filtra attraverso le dita piegate, evoca un'atmosfera soprannaturale. Non si può dubitarne: si tratta di angeli – rara meraviglia in cui si fondono idealismo e realismo –, sono angeli, angeli senza ali né altri attributi tradizionali, queste figure femminili chine su un dormiente o un prigioniero, mute consolatrici cariche di gravi segreti, di cui la solennità delle pose attesta l'importanza.

P. JAMOT, *Le Réalisme dans la peinture française du XVIIe siècle. De Louis Le Nain à Georges de La Tour. Les enseignements d'une exposition*,
"Revue de l'Art ancien et moderne", 1935

Tutto nel lorenese La Tour rivela l'incrociarsi degli istinti e delle tradizioni del Nord e del Sud, dell'Est e dell'Ovest. Ha il gusto dello strano, eppure, grazie alla lucidità descrittiva di quanto gli rivela la luce diurna e all'intensa semplificazione cui lo induce quella notturna, si arresta prima d'arrivare al verismo, all'effetto pittoresco o mostruoso. Tende verso il misterioso, eppure, grazie alla compostezza, alla calma classicità delle strutture, la sua magia non assume mai toni teatrali e le sue passioni rimangono umane. Ecco perché, nonostante il lieve profumo renano che pervade le sue notti, egli resta profondamente francese, perché si avvicina ai Le Nain (come nell'*Adorazione dei pastori* del Louvre), perché alcune sue figure femminili (come quella che spalanca le braccia nel dipinto di Berlino) hanno gli stessi gesti delle donne di Le Sueur. Ecco perché, indirettamente discepolo del Caravaggio e coinvolto negli immani problemi pittorici posti dal barocco, egli ritrova la semplice tenerezza e la serenità di un classico.

Una gravità e una malinconia simili a quelle dei Le Nain, di Le Sueur e di Philippe de Champaigne hanno permesso a La Tour di intendere a fondo la serietà dei misteri del Caravaggio, il valore spirituale che l'arte può derivare da un chiaroscuro in cui la luce riveli d'improvviso brani di una natura crudele, sconvolgente. Prima di Rembrandt, la grande lezione del Caravaggio fu solo in parte fertile; in Olanda qualche dipinto di Honthorst e di Terbrugghen, in Italia quelli di Feti, Saraceni, Borgianni, Gentileschi rivelano come la luce possa acquisire, a volte, tale qualità poetica. La Spagna sola seppe penetrare meravigliosamente il segreto di quell'apparente 'naturalismo' per sottometterlo al proprio misticismo. E la Francia di allora, che mostra una strana parentela con la Spagna, sia nelle arti sia nelle lettere, poté con ogni naturalezza esprimere un La Tour, fregiando di grandiosità classica il suo misticismo lorenese.

C. STERLING, *Les peintres de la Réalité en France au XVIIe siècle. Les enseignements d'une exposition.* I. *Le mouvement caravagesque et Georges de La Tour,* "Revue de l'Art ancien et moderne", 1935

Dinanzi alla *Maddalena* di La Tour, creazione severa e profonda ma serena dell'arte francese, Charles Sterling ha eloquentemente richiamato due fra le più belle immagini della *Malinconia*, quella di Dürer e quella di Milton. L'elogio è magnifico, ma non credo che un simile accostamento sia eccessivo. Lo spirito francese oscilla volentieri fra la malinconia e l'ironia: non gli appaiono forse come due aspetti di un medesimo atteggiamento di fronte a questo mondo incerto e fosco in cui la sorte ci ha gettati? Nella *Maddalena* di Georges de La Tour, lo spirito francese si riconosce in ciò che ha di migliore, di più universale e più umano. Essa non è, come la robusta immagine di Dürer, curva sotto un troppo pesante fardello e assediata dalle innumeri invenzioni dell'uomo e dai suoi errori; è consapevole della fragilità dell'uomo ma anche dell'incomparabile grandezza della sua vocazione, e sa che il sacrificio condurrà alla pace, che l'infinita distanza fra il divino e l'umano sarà superata. *Unum porro est necessarium.*

Un artista nato per salire tanto in alto è quasi fatalmente costretto ad attendere la maturità per esprimersi compiutamente. Neppure un genio potrebbe cominciare dalla *Maddalena con specchio* oppure dal *San Sebastiano.* Come è avvenuto parecchie volte, e forse in Francia più che altrove, ai maestri più originali, come è accaduto quasi nello stesso momento a Louis Le Nain, e in altro campo, a Nicolas Poussin, La Tour era senza dubbio uno di quegli uomini che portano in sé un'imperiosa ma pericolosa predestinazione e che per molto tempo debbono cercare unicamente un linguaggio capace di esprimere il segreto della loro anima e del loro pensiero. Quando l'hanno trovato, non hanno più nulla da cam-

biare, perché esso può chiarire tutto ciò che loro soli vedono: può abbracciare tutte le cose indicibili che nascono dal cuore e da un grande spirito dominatore. A volte, una candela, magari in una mano infantile, ha vinto la vasta notte.

P. JAMOT, *Georges de La Tour. A propos de quelques tableaux nouvellement découverts,* "Gazette des Beaux-Arts", 1939

Latour non gesticola mai. In un tempo di frenesie, egli ignora il movimento. Che sia capace o no di raffigurarlo, non viene nemmeno in mente; lo scarta. Il suo teatro non è il dramma di Ribera, è una rappresentazione rituale, uno spettacolo di lentezza. Conobbe Piero della Francesca? Senza dubbio, no. La stessa preoccupazione stilistica fissa i suoi personaggi nella medesima immobilità più atemporale che primitiva, l'immobilità di Paolo Uccello, della *Pietà* di La Nouans, talvolta di Giotto, quella stessa di Olimpia. Mentre il gesto barocco si dispiega allontanandosi dal corpo, quello di Latour è rivolto verso il corpo, quasi esprimendo raccoglimento o brivido. È raro che i gomiti si scostino dal petto dei personaggi, né le dita delle mani che si offrono (come nel *San Sebastiano*) appaiono tese.

Le figure esterne dei gruppi sono attratte imperiosamente verso il centro della tela, mentre quelle barocche ne sfuggono. Tutto questo potrebbe appartenere alla scultura, ma in quel tempo anche la scultura gesticolava. E i personaggi di La Tour, ben diversi per peso da quelli della verticalità persiana, se ne liberano sempre attraverso una sorta di trasparenza [...].

Si dice che La Tour sia stato un analista degli effetti di luce, come i suoi contemporanei amanti dei notturni o come il Bassano. Ma i suoi effetti luminosi così toccanti non sono per nulla 'esatti'; basterebbe ricostruire le composizioni dipinte da lui, e fotografarle, per dimostrarlo. È ben nota l'importanza delle torce nelle sue opere; ma quando mai una torcia ha emanato una luce tanto serena e diffusa, che fa risaltare le masse senza introdurre accenti? I corpi raffigurati nel *San Sebastiano vegliato da sant'Irene* hanno certo delle ombre, ma proiettando soltanto quelle che l'artista ha voluto; e nessun'ombra appare nel primo piano del *Prigioniero* [il *Giobbe* di Epinal], che La Tour non voleva mettere in evidenza. L'illuminazione del Caravaggio proviene da una luce diurna, forse il lume del suo celebre spiraglio; serve a staccare da un fondo scuro i personaggi, di cui accentua i lineamenti. Le deboli luci di La Tour servono invece a unire le sue figure; in lui, la candela è fonte di un lume diffuso nonostante la nettezza dei piani, e questa luce non è affatto realistica, essa è atemporale come in Rembrandt. Per quanto differente sia il genio di Rembrandt da quello di La Tour, la loro poesia è analoga. Per entrambi, non si tratta di copiare accenti luminosi, ma di suscitarli con sufficiente esattezza per non perdere quella 'credibilità' di cui la loro poesia non può far a meno. Anche Balzac trovava nel reale i mezzi espressivi più efficaci del proprio mondo fantastico. E ciò che La Tour prende dal reale a volte è colto con acutezza: per esempio le mani translucide del Bambino davanti alla candela, nel *San Giuseppe falegname.* Ma la sua luce non tende a creare un rilievo come nel Caravaggio, o un effetto pittoresco come in Honthorst: è il tramite a un'armonia che traduce il reale nell'ornamento d'un *buen retiro* per la meditazione.

Questa luce irreale suscita, tra le forme, rap-

porti che non sono più del tutto reali. La diversità fra le opere 'diurne' e quelle 'notturne' di La Tour è più grande di quanto non sembri a un primo sguardo, anche quando i colori sono apparentati, anche quando queste opere sono quasi repliche, come il *San Gerolamo* di Stoccolma nei confronti di quello di Grenoble. Si dirà che alle prime manca soltanto un'illuminazione particolare. Ma le piccole sorgenti luminose di La Tour sono destinate soltanto a creare un'illuminazione? La luce dei caravaggeschi tende in primo luogo a separare i personaggi dall'oscurità; ma non è l'oscurità che La Tour dipinge, è la notte. La notte stesa sulla terra, la forma secolare del mistero pacificato. I suoi personaggi non ne sono separati, anzi ne sono l'emanazione. Essa prende forma in una ragazza che La Tour definisce angelo, nelle apparizioni femminili, nella fiamma diritta della torcia o della lucerna, che non la turbano. Il mondo diviene simile alla vasta notte che si stendeva sugli antichi eserciti assopiti, dove, sotto la lanterna delle ronde, forme immobili sorgevano passo a passo. In tale popolata oscurità, s'accende lentamente un lumino: e fa apparire in una ragazza, e i pastori stretti intorno a un bambino, la *Natività* la cui fiamma tremolante si stenderà fino ai limiti della terra... Nessun pittore, nemmeno Rembrandt, suggerisce questo vasto e misterioso silenzio. La Tour è il solo interprete della parte serena delle tenebre.

Nelle sue opere migliori, egli inventa le forme umane che si accordano a quella notte. Non è alla scultura che arriva, ma alla statua. Le donne del *San Sebastiano pianto da Irene*, come quella del *Prigioniero*, sono statue notturne, non per il loro peso, ma per l'immobilità di antiche apparizioni; non vengono da lontano, ma sono sorte dalla terra addormentata, come Palladi di pietà.

A. MALRAUX, *Les Voix du Silence,* 1951

L'opera religiosa del pittore si costruisce intorno all'idea della penitenza redentrice. È lì che va cercata la sua unità. Ma ciò che gli ha consentito di esprimere la propria concezione religiosa con un accento cui nessuno può restare insensibile, è un senso della sacralità che egli solo ha saputo rendere grazie a strani artifizi, attraverso un pudore dei sentimenti religiosi e una profonda onestà. Così, nella *Maddalena con specchio*, egli dispone le cose in modo che lo specchio non rifletta la grazia di un volto femminile, ma le vuote orbite del teschio su cui posa la mano della penitente. Così ancora, nell'*Estasi di san Francesco*, l'anima lontana dal corpo del santo sembra effondersi quasi in tutto il dipinto, rispecchiandosi nel bel viso del monaco che legge.

J. TRANCHANT, *Georges de La Tour, le peintre perdu et retrouvé,* "Etudes", febbraio 1952

[...] Più importante dei personaggi e più rivelatore è ciò che li unisce, pur assegnando a ciascuno un valore particolare. Nell'*Educazione della Vergine*, colpisce il senso d'attesa della madre e della bambina, forse la distanza che le separa e tuttavia il ponte che il libro e la candela creano fra loro; i due personaggi tacciono, ma si avverte che una parola sta per esprimersi.

Non è davvero sorprendente in La Tour che la parola venga dalla splendente bambina. Nel *San Giuseppe* del Louvre il vecchio artigiano inclina il corpo massiccio verso la luce sorretta dal bambino, quasi cercandovi la giustificazione e il senso del proprio lavoro. È dai bambini, dagli innocenti, che proviene quasi tutta la luce: si pensi al neonato nell'*Adorazione dei pastori* o a quello della *Natività*, all'angelo nel *Sogno di san Giuseppe* o del paggio nell'*Immagine di sant'Alessio*.

La luce in La Tour definisce e palesa sempre; essa è insieme simbolo e rivelazione.

M. ARLAND, *Georges de La Tour*, 1953

Ultima scoperta, questo *Notturno di donna che schiaccia una pulce*. Il tema della caccia alla pulce è fra i preferiti dei caravaggeschi. Si rammenti il dipinto di Honthorst al Museo di Basilea: un letto in disordine, una donna seminuda ma con turbante, una vecchia armata di occhiali, buon umore, risate, e un pizzico di volgarità. Nulla in comune con la tela statica, severa, persino sgradevole, di cui ci stiamo occupando. È vero d'altra parte che il tipo femminile raffigurato, o meglio il suo petto liscio e sodo, risponde all'ideale dei caravaggeschi olandesi, o almeno di Terbrugghen; qui, però, nulla di provocante, anzi una ricerca di castità e di purezza che colpisce [...].

Il dipinto offre le maggiori analogie compositive con la *Maddalena con lampada* del Louvre, costituendo un prezioso raccordo fra le opere sacre e quelle profane di La Tour.

In entrambi i casi, una fiamma dritta e isolata, una donna seduta, con la luce che delimita le ginocchia, tocca il ventre prominente, il petto e il capo. Ma la Maddalena è più snella, il suo atteggiamento è più elegante, i particolari del tavolo e del teschio hanno un significato spirituale. Sembra esistere contrasto assoluto fra la penitente immersa in meditazione e la donna assorta nella caccia alla pulce, tra aspirazione mistica e vita feriale. Il pittore si è servito dello stesso motivo, e forse della stessa figura lievemente modificata, per elevarci al cielo o ricondurci sulla terra; e tuttavia questa serva dalle gambe grosse, dalle ginocchia accostate senza grazia e la corporatura robusta, che ha afferrato la pulce fra i pollici e la schiaccia, si concentra così profondamente nell'impresa che non si muove più, non respira più, cosicché l'episodio grossolano assume un accento drammatico. In fondo, questo senso di attesa corrisponde a quello della Maddalena o del paggio che nella notte constata la morte di sant'Alessio. Ritroviamo in tutti la silenziosa tensione che è fra i segreti di La Tour.

Qui però la tensione si fonde con l'umorismo, con quell'ironia cui tanto bene accenna don Tranchant, con una divertita osservazione del reale. Non basta. Le donne di La Tour sono vestite di solito come religiose e, anche se si tratti di cortigiane, la scollatura rimane casta, quasi che il pittore fosse vincolato da un impegno preciso. Qui per la prima volta l'artista abbandona la consueta severità, osa svelare il seno; adesso si può pensare che egli abbia dipinto dei nudi, tanto che la *Donna dalla pulce* potrà forse aiutarci a ritrovare altre opere realistiche dello stesso genere.

Il dipinto fa meglio comprendere l'originalità di La Tour. Egli si distacca sia dagli spagnoli, più incisivi o chiassosi, sia dai 'tenebrosi', più contrastati e chiassosi. Localizzato nella cerchia dei caravaggeschi francesi, ne differisce tuttavia per la tonalità chiara e la tecnica magistrale e raffinata. Troviamo in lui il realismo più crudo, con una franchezza e una ironia degne di Callot, quali si riscontrano nei romanzi di Sorel: ma anche una dolcezza, un'umanità discreta che richiamano Rembrandt, e infine una compostezza, una sorta di dignità che isolano e proteggono la ser-

va, un garbo indefinibile ma molto francese. L'opera introduce una nota nuova nell'arte del suo tempo.

F.-G. PARISET, *Mise au point - provisoire - sur Georges de La Tour*, "Cahiers de Bordeaux. Journées internationales d'Etudes d'art", 1955

Un individualismo tanto spiccato, al limite quasi della trasgressione, e insieme l'urgenza di una mistica viva, che le livide veglie di Maddalena (Parigi, coll. Fabius; Parigi, Museo del Louvre) servono bene a esemplificare, si chiariscono alla luce del vincolante rapporto che legava il pittore ai francescani in Lorena. La stessa massima applicata dall'ordine ("prendre Dieu, sans chercher à le comprendre"), affatto antitetica nei confronti del raziocinante pensiero gesuita, poteva dar ali al suo misticismo, senza scadere peraltro in tumultuosa effusione, grazie ad un lucidissimo autocontrollo formale. Se poi si rimediti sull'espansione improvvisa del movimento francescano in Lorena, nel primo trentennio del diciassettesimo secolo, e sull'azione promossa da San Pierre Fourier [riformatore della congregazione del Saint-Sauveur], si intende anche meglio come Georges de La Tour possa inserirsi all'interno di un risveglio corale del misticismo, che particolari rapporti fra committenti e pittore potrebbero avere maggiormente acuito.

Sullo sfondo rurale della Lorena paiono ambientate le varie *Natività* (Rennes, Museo; Parigi, Louvre), ed anche le raffigurazioni del *Sogno di san Giuseppe* (Nantes, Museo) e del *San Giuseppe falegname* (Parigi, Louvre) sembrano attingere alla stessa affaticata umanità contadina. Ma non si chieda al pittore una partecipazione accorata, la comunione vissuta con il 'quarto stato' del popolo, alla maniera solidale di un Louis Le Nain. Se fu pittore di contadini, lo fu soprattutto di *paysans propriétaires*, e non per via di quei documenti che provano la solidità della sua economia e l'accortezza del suo amministrare. Fu piuttosto la sua naturale disposizione a far sedimentare il potenziale emotivo entro calcolatissime soluzioni formali che gli impedì, in qualche modo, la narrazione patetica.

Così, nonostante la consistenza vistosa delle povere cose evidenziate dal lume, il timbro non è quello di un pittore realista: talora sconfina, per ambiguità e sottintesi, nel sortilegio della *Buona ventura* (New York, Metropolitan Museum of Art); altrove, invadente e quasi ipertrofico (*Il suonatore di ghironda*, Nantes, Museo; *San Giuseppe falegname*, Parigi, Louvre), il personaggio contagia della sua epicità la scenografia castigata, dimessa. [...]

Ma non è lecito imbrigliare così la sua prorompente originalità di poeta; che anzi, là dove una stagionatura a rilento sembra avere annullato la realtà contingente, proiettando, in una dimensione pressoché atemporale, il racconto via via più stringato, conciso (*La Natività*, Rennes, Museo; *La veglia della Maddalena*, *San Giuseppe falegname*, Parigi, Louvre; *San Sebastiano pianto da sant'Irene*, Berlino, Kaiser Friedrich Museum), meglio si leggono le qualità sue native e quel cartesiano rigore di stile, che è matrice comune anche al classicismo francese. [...]

Quell'anta di pietra, così granitica e ferma, che è la moglie di Giobbe nel dipinto a Epinal, come pure la sequenza dei volumi geometrici delle *pleureuses* nella tela a Berlino (*San Sebastiano pianto da sant'Irene*) riflettono infatti i

canoni estetici, nonché i supporti nozionali e stilistici, della pittura prettamente francese.

A. OTTANI CAVINA, *La Tour*, 1966

Reminiscenze? Analogie? In realtà, una sconcertante originalità [...]. Forse le sue composizioni religiose hanno talmente colpito da far trascurare un altro lato dell'arte sua [...]. Si deve ammettere che La Tour guarda a un mondo terra terra con impietosa ironia e distacco. I suoi personaggi sono tesi, avidi, cupi, crudeli; a volte sono vestiti sontuosamente, a colori vivi e screziati, non esenti da eccentricità; altre volte indossano stoffe ruvide, fosche, rigide, sbiadite, sfrangiate, strappate, con grosse cinture di cuoio, e qua e là un lusso da strapazzo, un ornamento di fantasia, un orpello dorato, bottoni di vetro. Mezzo contadini e mezzo borghesi, come La Tour, essi sono attenti, astuti, alla buona, talora persino indifferenti; si piegano, s'incurvano, ma stanno in guardia, pronti a raddrizzarsi; possono rivelarsi carichi di una lucida malinconia, mentre nelle figure dei suonatori ciechi che cantano al sole si respira la volontà di vivere. Le ultime scoperte, tutte su linee oblique divergenti, mostrano personaggi chini che sembrano esitare, scoordinati, angolosi come insetti. Qui dei soldati poco più che bambini si lasciano trascinare dalla passione del gioco; là un borghese smarrito è preda di militari in agguato, minacciosi e sprezzanti. Come in tutta l'arte del Seicento, c'è qualcosa di selvaggio in La Tour e nei suoi eroi, ma c'è anche una lotta, un esercizio ascetico per conservare la libertà e la padronanza di sé. Questo è il senso delle sue opere religiose, e si vorrebbe poter conoscere meglio il suo percorso stilistico per sapere se esso corrisponde a un *iter* spirituale.

Il *Baro* e la *Buona ventura* definiscono un primo periodo stilistico: lume diurno, argomento profano di contenuto morale, abbondanza di particolari, varietà di tavolozza, minuzia calligrafica di fattura. La *Negazione di san Pietro* del 1650 conclude un fare più tardo: eliminazione di ogni motivo inutile, tendenza al monocromo, luce notturna, non un tremolio di piccoli lampi luminosi come in altri caravaggeschi, bensì lo sforzo riuscito di rendere un'atmosfera luminosa che vibra, vacilla, rosseggia. La Tour si ispira a un'incisione fiamminga degli anni posteriori al 1630 e ha senza dubbio trattato varie volte lo stesso tema; ma qui ha saputo renderlo più inquietante opponendo la domestica più sospettosa al san Pietro più timoroso. A questo dipinto del 1650 non vanno forse accostati l'opera di Epinal e le due recenti scoperte?

Nonostante gli ultimi ricuperi, bisogna ammettere che La Tour non è un pittore fecondo. Ripete motivi, gesti, tipi e sentimenti, cosicché possediamo 'repliche' di parecchie sue composizioni. Si potranno confrontare fra loro, ma senza dimenticare che non appartengono necessariamente allo stesso periodo, per meglio comprendere il senso del suo cammino. Per esempio, dei due *San Gerolamo con il cilicio*, quale corrisponde alla prima versione, o meglio quale è la prima versione? Il cappello cardinalizio costituisce una aggiunta, una concessione all'iconografia tradizionale (che di solito La Tour trascura volentieri), oppure il 'progresso' risiede proprio nella sua eliminazione?

Certo, il visitatore sarà conquistato dall'orgoglioso vitalismo delle creazioni realistiche. Ma a poco a poco sarà affascinato dai mistici 'notturni', che si accostano all'ideale religioso dei francescani. I personaggi sacri divengono simili ai lorenesi del tempo dell'artista, o abbandonano il mondo per vivere in solitudine monacale. Nulla è studiato per piacere, per attirare l'attenzione. Gesti lenti, una concisione in cui sta il segreto del classicismo francese, meditazione e persino estasi, rifiuto del mondo e delle sue vanità, *memento mori*, dolore nell'accettazione – però – della sofferenza, compassione e dolcezza infinita. Per far risaltare sentimenti più suggeriti che descritti, soltanto qualche povero lume nella notte. La fiamma di una candela, avverte G. Bachelard, ci costringe a immaginare, è essa stessa immagine di solitudine, di calma, di pace. E il suo slancio verticale non invita l'anima a elevarsi verso il trascendente?

F.-G. Pariset, *Georges de La Tour*,
"Plaisir de France", maggio 1972

[Un] realismo minuzioso [...] descrive con evidente compiacimento virtuosistico le rughe, le vene, il decadimento di un'epidermide senile, posa una realistica mosca presso lo strumento musicale del *Suonatore di ghironda* di Nantes, mentre rende con perfezione rara nell'arte francese la morbidezza del velluto, lo splendore del raso, gli ornamenti di un ricamo, e appunta un'inattesa piuma arancione sul berretto del giovane babbeo nel *Baro con l'asso di quadri*. La Tour è davvero un dio della pittura pura, e si comprende come Stendhal davanti a lui abbia potuto pensare a Velázquez.

Si aggiunga che questa incantevole maestria si accorda perfettamente col carattere dei temi trattati. Che visi, che sguardi! Quali retroscena e quali giochi perversi suggerisce la danza di quelle mani che sembrano voler correre dappertutto e posarsi dove non devono! Non basta il Caravaggio a spiegare quest'arte; ci si domanda in quali bische, in quali anfratti La Tour sia andato a cercare questi personaggi rutilanti e impennacchiati, la cui presenza è ancor più inquietante perché appaiono all'improvviso, come se si fosse tirato il sipario su una scena indefinita, priva di qualunque accessorio.

Guardate nella *Buona ventura* l'espressione della zingara e il profilo crepuscolare della giovane schiava da romanzo barbaresco. E nel *Baro*, dove sempre finisce per tornare, quale complotto sta apprestando la semiramide da trivio che troneggia al centro della composizione? Questi dipinti non sono soltanto scene di genere; c'è in essi qualcosa di equivoco e cupo che potrebbe far attribuire al pittore, se si avesse il gusto del romanzesco, una giovinezza ricca di strane avventure. "Questo discorso, fratello mio, sente di libertinaggio". Questi abiti sono l'ornamento del diavolo.

Poi viene il periodo delle candele, la candela di Orgone, che senza dubbio portò a La Tour molte commissioni e si trasformò in sistema. Si

deve pensare a una conversione, o a un'attività in altro ambiente, per una clientela diversa? Oppure attribuire al prestigio di qualche ordine religioso la devozione che emana dalla sua opera? Una devozione semplice e rustica, che propone immagini di speranza, di rinuncia e di pentimento, che collega la vecchiaia e l'infanzia, che s'interessa ai personaggi meno 'brillanti' delle Scritture, che interpreta con audacia tranquilla il soprannaturale e l'episodio sacro in termini di vita quotidiana: l'*Adorazione dei pastori*, l'*Angelo che appare a san Giuseppe*, il meraviglioso *Neonato* di Rennes. Questa religiosità non oltrepasserebbe i limiti di una devozione domestica e potrebbe quasi sembrare provinciale senza l'eleganza spesso assai ricercata dei tipi, dei gesti e dei particolari d'abbigliamento, soprattutto senza il favoloso chiaroscuro che conferisce all'opera la dignità e l'imponente ossatura delle meditazioni spirituali. Una meditazione molto austera, un po' rigida, talora sconcertante per il carattere enigmatico dei temi, che si collocano a fianco della grande arte e sono trattati con una sorta di distacco paradossale.

Questo contemporaneo di Corneille non rivela la nobiltà straziante del dramma; manca d'immaginazione, e non ha lo splendore, il fuoco, le grida, la passione selvaggia e geniale del Caravaggio. Tanto meno si può accostarlo a Rembrandt. Eppure, lo sguardo della *Maddalena dalle due fiamme*, il gesto squisitamente capriccioso dell'*Angelo che appare a san Giuseppe*, l'atteggiamento della moglie di Giobbe, il suo gran mantello rosso e il viso lunare, dicono qualcosa nel silenzio, nella notte, nell'oscuro incontro dell'infelicità con la devozione, che non si trova altrove, né in secoli né in paesi differenti.

Eccoci ben lontani dai bari e dai suonatori di ghironda. Non si tratta più dello stesso realismo. Le forme sono più descritte e minuziose, ma unificate, immerse in una tonalità calda, sbalzata da frange di luce fremente. E tuttavia il punto di partenza, l'ambientazione, la luce, la sintesi dell'immagine nell'economia del dipinto non sono cambiati. Confrontiamo il *Suonatore di ghironda* di Nantes e la straordinaria *Donna che si spulcia* di Nancy; vedremo nel tempo stesso il cammino percorso e l'identità dell'ispirazione.

A. Fermigier, *Un dieu de la peinture pure*,
"Le Nouvel Observateur", 15-21 maggio 1972

Bisogna rammentare che La Tour non ha inventato il tema commovente e grave del *San Sebastiano curato da Irene*, e nemmeno l'idea di farne un notturno. Decine di chiese acquistarono in quel tempo una di tali composizioni affettuosamente devote, commissionate a maestri famosi o a caravaggeschi di passaggio. L'opera di La Tour presenta una sobrietà e una nobiltà davvero meravigliose; tramite le luci scivolanti egli accentua il carattere scultoreo delle forme, scavate

nel legno o nella pietra come statue romaniche. Un'ispirazione avvincente, quasi al rallentatore, preme con una sorta di virtuosismo tutti i tasti commoventi della pittura. Analogie, interferenze, riprese formali regolano l'orchestrazione della scena. L'albero-colonna a sinistra che si contrappone alla pia donna verticale di destra è avviluppato in una linea curva; questa spirale a sua volta rima con gli intrecci della fiamma che corona la torcia.

Qui il 'tenebrismo' è quasi una chiave musicale, che dà subito al dipinto una tonalità emotiva. I colori sbiaditi, sordi, sono dominati da macchie d'ombra, dai pallidi raggi della torcia. Questo taglio, utilizzato con calma autorità, offriva al pittore il destro di mettere liberamente in risalto i particolari preziosi: un colletto, un gioiello, la trasparenza di una mano, la curva d'un piatto di metallo. La Tour si è reso conto perfettamente che il 'luminismo' richiedeva una semplificazione dei motivi, una specie di rarefazione dei gesti, una stringata limitazione degli accenti. Egli si oppone agli altri caravaggeschi, e in primo luogo a quelli di Utrecht (Honthorst, Terbrugghen), cui viene a volte accostato, per la ben maggiore severità del linguaggio; ed è proprio ciò che trasforma un procedimento pittorico in poetica. Quanto può apparire come uno sforzo di concisione, d'alto valore spirituale, all'inizio è stato forse soltanto la conseguenza di una precisa logica artistica.

Esistono due versioni del *San Sebastiano* verticale (tra le quali risulta impossibile decidere) e una orizzontale in larghezza (copia nel Museo di Orléans, e varie altre). Tale situazione non si riferisce a un'unica tela, ma si ripete così spesso da diventare una regola. Naturalmente non si tratta di falsi, ma di doppie o triple versioni cui si aggiungono copie dovute alla bottega di La Tour o ad altri. Un sistema apparentemente strano e complicato, ma spiegabile con la situazione dei committenti e le consuetudini del Seicento [...]. Le tre superbe *Maddalene* mostrano bene che si tratta di varianti, straordinarie per virtuosismo e scioltezza, di un medesimo tema. Mai la formula del tema e le relative variazioni vennero adottata con evidenza e successo maggiori. [...] Ogni volta una trovata ambientativa richiama l'attenzione: il riflesso del teschio nella *Maddalena con specchio*, il riflesso della candela nella *Maddalena dalle due fiamme*, la natura morta della *Maddalena con lucerna*. I tre dipinti si enucleano su un involucro d'ombra rotta da una fiamma. Qualcosa d'immemoriale e di affascinante – simbolo insieme del pensiero, del silenzio e della fragilità – si collega al gioco delle forme. Si crea un'arte emblematica. L'accostamento insperato delle tre versioni permette di apprezzarne in modo persuasivo la natura e il valore.

A. Chastel, *La Tour perdu et retrouvé*,
"Médecine de France", giugno 1972

Il colore
nell'arte di
Georges de La Tour

Elenco delle tavole

*Il numero arabo posto qui fra parentesi
quadre dopo il titolo di ciascuna opera si riferisce alla numerazione dei dipinti adottata
nel Catalogo delle opere che inizia a p. 86.*

VECCHIA San Francisco, De Young Memorial Museum [n. 3]
Assieme (cm. 90,5 × 59,5).

TAV. II   VECCHIO   San Francisco, De Young Memorial Museum   [n. 2]
Assieme (cm. 90,5 × 59,5).

TAV. III   SUONATORE DI GHIRONDA CON CANE   Bergues, Musée Municipal   [n. 6]
Assieme (cm. 186×120).

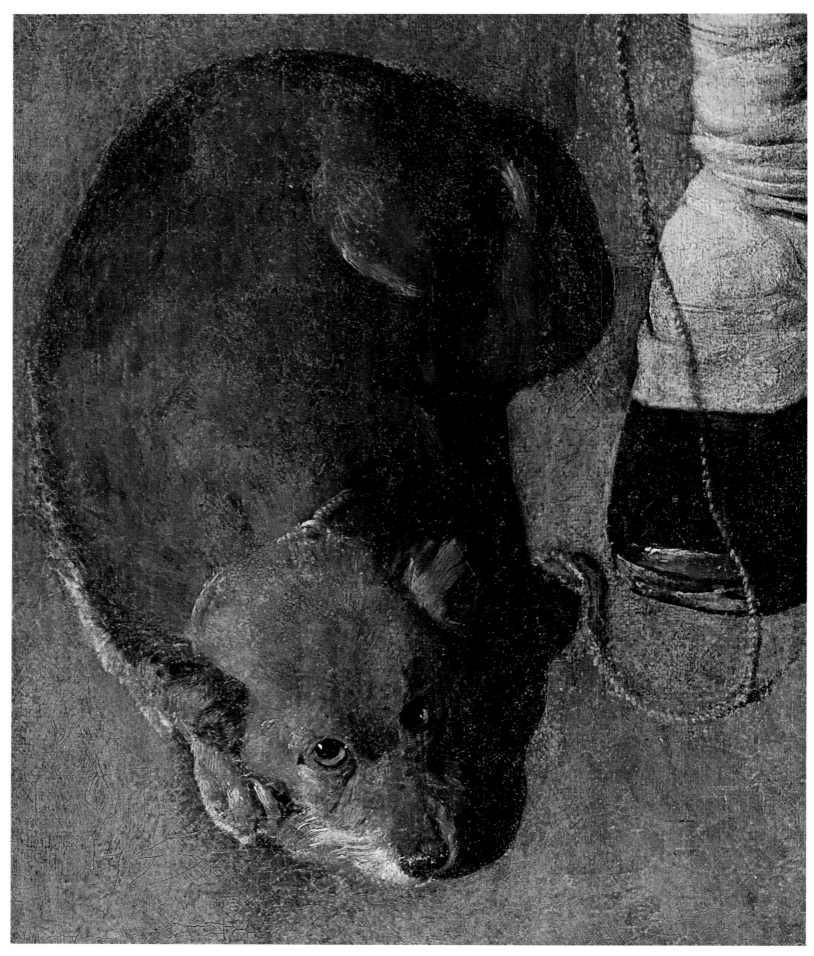

TAV. IV SUONATORE DI GHIRONDA CON CANE Bergues, Musée Municipal [n. 6]
Particolare (cm. 36×29,5).

TAV. V   SAN GIUDA TADDEO   Albi, Musée Toulouse-Lautrec   [n. 17]
Assieme (cm. 62×51).

TAV. VI   SAN FILIPPO Parigi, N. C. [n. 13]
Assieme (cm. 63 × 52).

TAV. VII   SAN GIACOMO MINORE Albi, Musée Toulouse-Lautrec [n. 12]
Assieme (cm. 66×54).

TAV. VIII-IX   RISSA DI MUSICANTI   Malibu, Paul Getty Museum   [n. 22]
Assieme (cm. 94,4 × 141,2).

TAV. X   RISSA DI MUSICANTI Malibu, Paul Getty Museum [n. 22]
Particolare (macrofotografia).

TAV. XI   RISSA DI MUSICANTI Malibu, Paul Getty Museum [n. 22]
Particolare (macrofotografia).

TAV. XII   RISSA DI MUSICANTI Malibu, Paul Getty Museum [n. 22]
Particolare (cm. 36 × 29,5).

SUONATORE DI GHIRONDA Nantes, Musée des Beaux-Arts [n. 25]
Assieme (cm. 162 × 105).

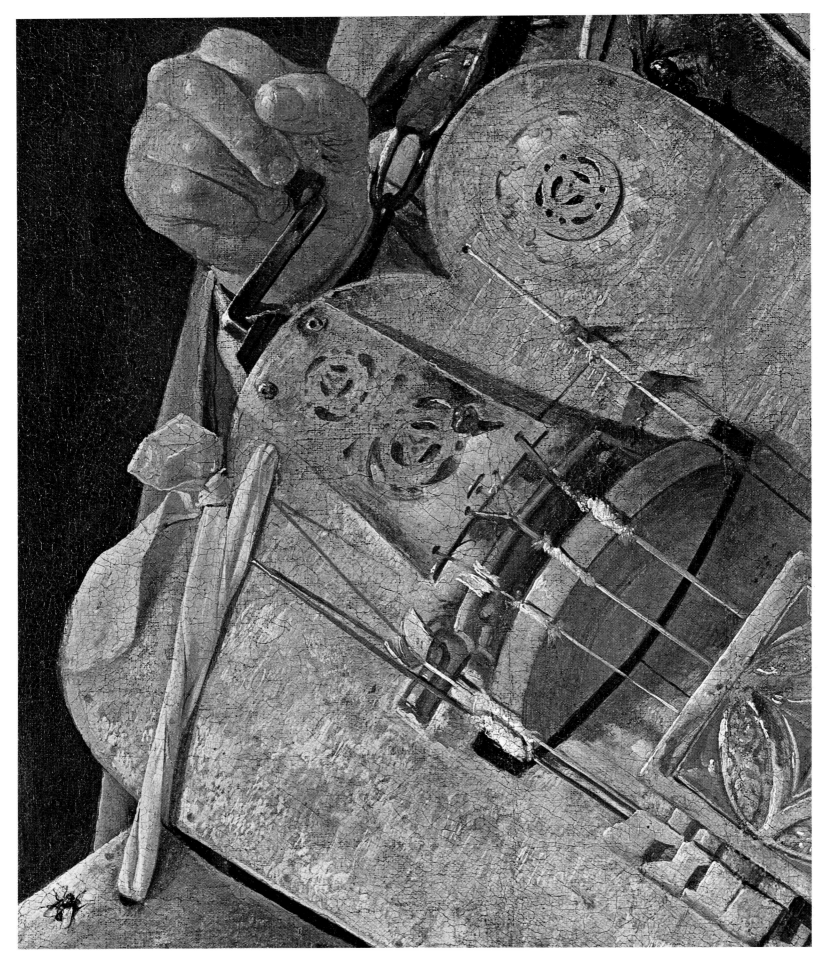

TAV. XIV SUONATORE DI GHIRONDA Nantes, Musée des Beaux-Arts [n. 25]
Particolare (cm. 39,5 × 32,5).

TAV. XV   SAN GEROLAMO PENITENTE, CON CAPPELLO CARDINALIZIO Stoccolma, Nationalmuseum [n. 26]
Assieme (cm. 153 × 106).

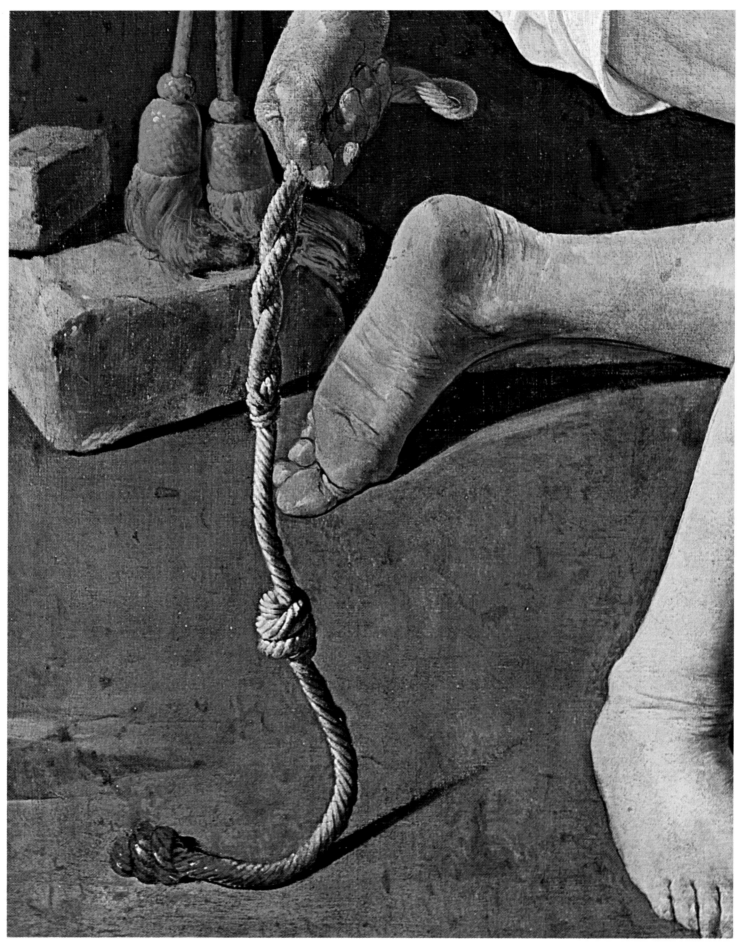

TAV. XVII   IL BARO, CON L'ASSO DI FIORI   Ginevra, proprietà privata   [n. 28]
Assieme (cm. 104 × 154).

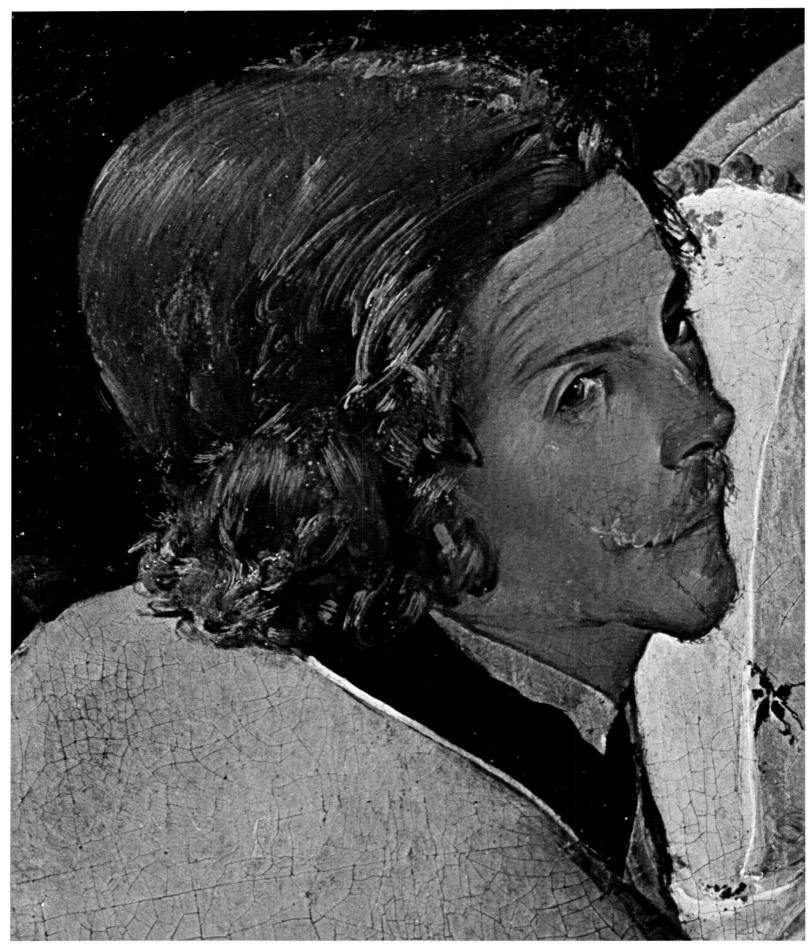

TAV. XVIII   IL BARO, CON L'ASSO DI FIORI   Ginevra, proprietà privata [n. 28]
Particolare (cm. 32×26,5).

LA BUONA VENTURA New York, Metropolitan Museum [n. 29]
Assieme (cm. 102×123).

TAV. XXII   LA BUONA VENTURA New York, Metropolitan Museum [n. 29]
Particolare (cm. 30×24,5).

TAV. XXIII   LA BUONA VENTURA New York, Metropolitan Museum [n. 29]
Particolare (cm. 30×24,5).

TAV. XXIV   LA BUONA VENTURA New York, Metropolitan Museum   [n. 29]
Particolare (cm. 71 × 58).

SAN GEROLAMO PENITENTE, CON AUREOLA   Grenoble, Musée des Beaux-Arts   [n. 31]
Assieme (cm. 157×100).

TAV. XXVI SAN GEROLAMO PENITENTE, CON AUREOLA Grenoble, Musée des Beaux-Arts [n. 31]
Particolare (cm. 33×27).

TAV. XXVII   SAN GEROLAMO PENITENTE, CON AUREOLA Grenoble, Musée des Beaux-Arts [n. 31]
Particolare (cm. 46,5×38).

IL BARO, CON L'ASSO DI QUADRI Parigi, Musée du Louvre [n. 30]
Assieme (cm. 106×146).

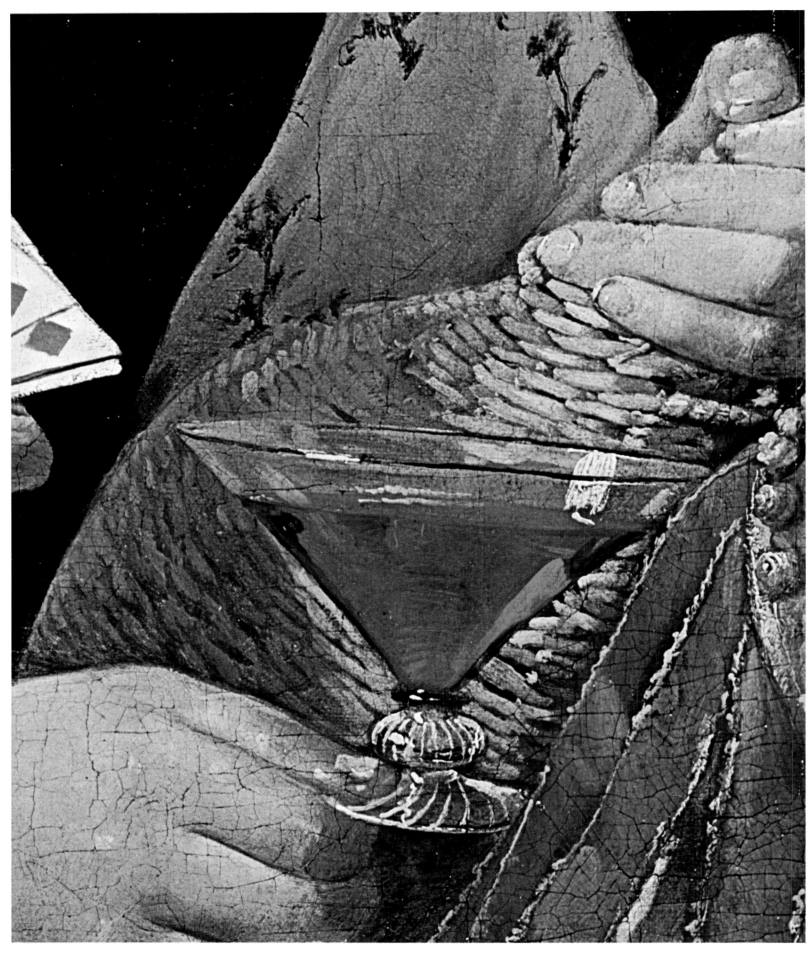

TAV. XXXI   IL BARO, CON L'ASSO DI QUADRI   Parigi, Musée du Louvre   [n. 30]
Particolare (cm. 38×31).

TAV. XXXII   IL BARO, CON L'ASSO DI QUADRI Parigi, Musée du Louvre [n. 30]
Particolare (cm. 53,5 × 44).

TAV. XXXIII   RAGAZZO CHE SOFFIA SU UNA LAMPADA Digione, Musée des Beaux-Arts [n. 42]
Assieme (cm. 61×51).

TAV. XXXIV   LA MADDALENA FABIUS Parigi, Fabius [n. 39]
Assieme (cm. 113×93).

TAV. XXXV SAN GIUSEPPE FALEGNAME Parigi, Musée du Louvre [n. 43]
Assieme (cm. 137×101).

TAV. XXXVI   SAN GIUSEPPE FALEGNAME   Parigi, Musée du Louvre   [n. 43]
Particolare (cm. 36,5×30).

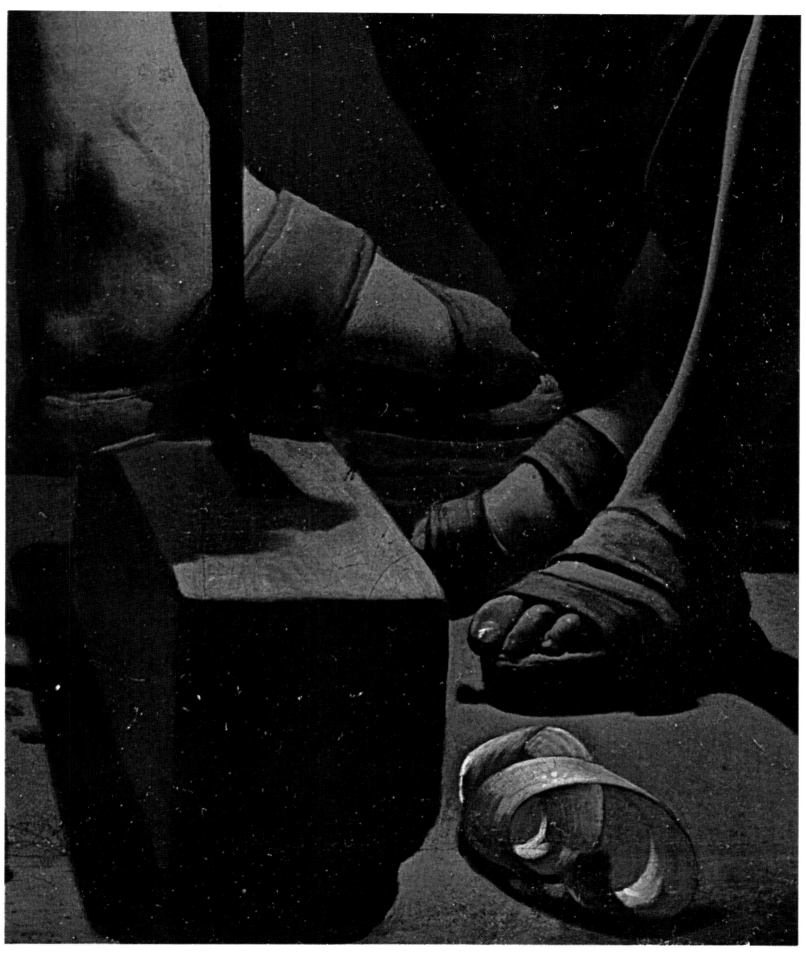

TAV. XXXVII SAN GIUSEPPE FALEGNAME Parigi, Musée du Louvre [n. 43]
Particolare (cm. 36,5×30).

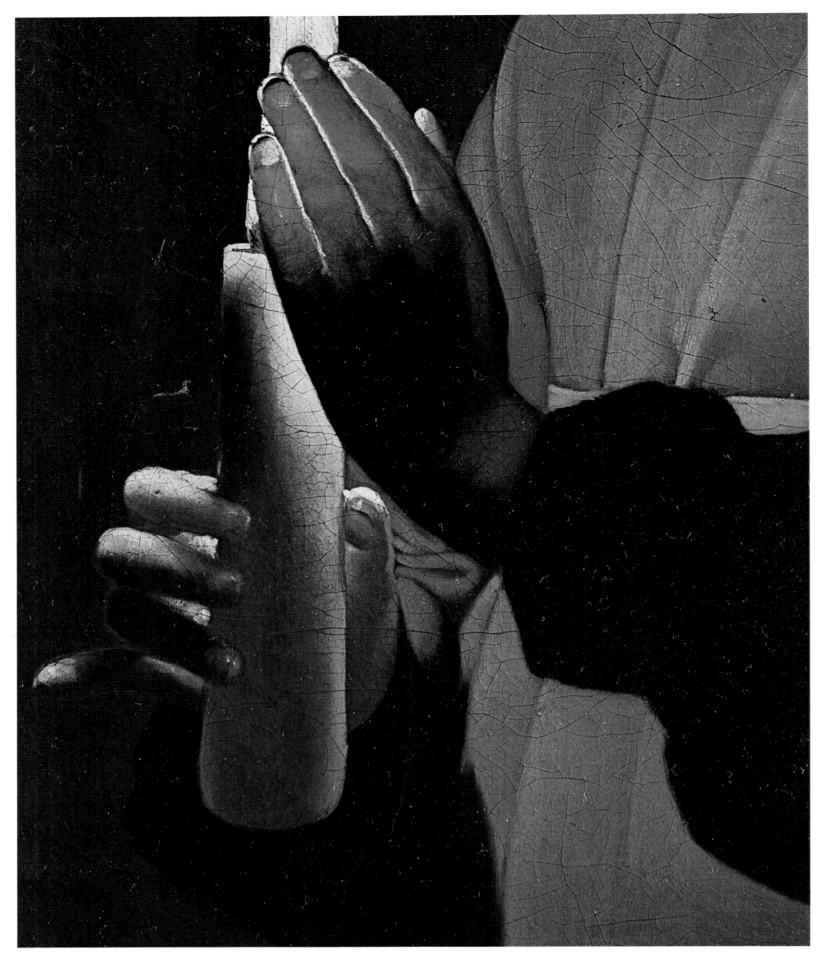

TAV. XXXVIII   SAN GIUSEPPE FALEGNAME Parigi, Musée du Louvre [n. 43]
Particolare (grandezza naturale).

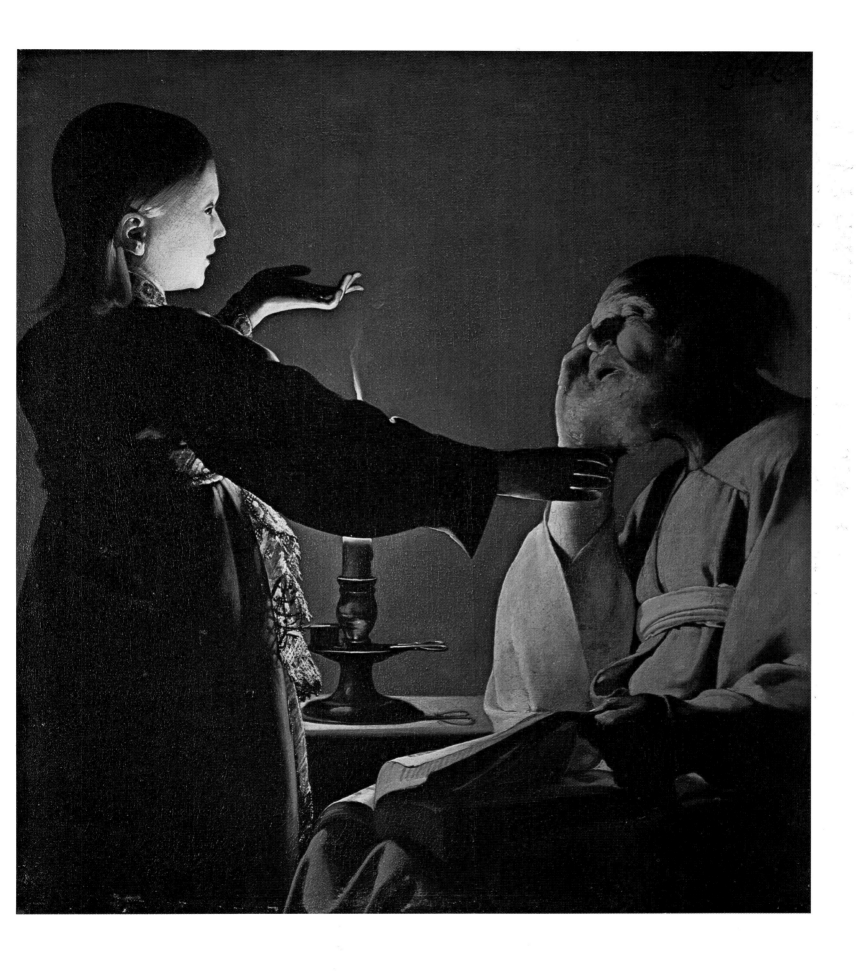

TAV. XXXIX   L'ANGELO APPARE A SAN GIUSEPPE   Nantes, Musée des Beaux-Arts   [n. 44]
Assieme (cm. 93×81).

TAV. XL   L'ANGELO APPARE A SAN GIUSEPPE   Nantes, Musée des Beaux-Arts   [n. 44]
Particolare (macrofotografia).

TAV. XLI   L'ANGELO APPARE A SAN GIUSEPPE   Nantes, Musée des Beaux-Arts   [n. 44]
Particolare (cm. 36,5×30).

TAV. XLII   LA MADDALENA WRIGHTSMAN New York, Wrightsman [n. 45]
Assieme (cm. 134×92).

TAV. XLIII   LA MADDALENA TERFF   Parigi, Musée du Louvre   [n. 47]
Assieme (cm. 128×94).

TAV. XLIV   LA MADDALENA WRIGHTSMAN New York, Wrightsman [n. 45]
Particolare (cm. 54×44).

TAV. XLV   LA MADDALENA TERFF Parigi, Musée du Louvre [n. 47]
Particolare (cm. 47,5×39).

TAV. XLVI L'ADORAZIONE DEI PASTORI Parigi, Musée du Louvre [n. 50]
Assieme (cm. 107×137).

TAV. XLVII   IL PENTIMENTO DI SAN PIETRO Cleveland, Museum of Art [n. 51]
Assieme (cm. 114×95).

TAV. XLVIII   L'ADORAZIONE DEI PASTORI Parigi, Musée du Louvre [n. 50]
Particolare (cm. 40×33).

TAV. L DONNA CHE SI SPULCIA Nancy, Musée Historique Lorrain [n. 46]
Particolare (cm. 49×41).

TAV. LI   DONNA CHE SI SPULCIA   Nancy, Musée Historique Lorrain   [n. 46]
Assieme (cm. 120×90).

IL NEONATO Rennes, Musée des Beaux-Arts [n. 57]
Assieme (cm. 76×91).

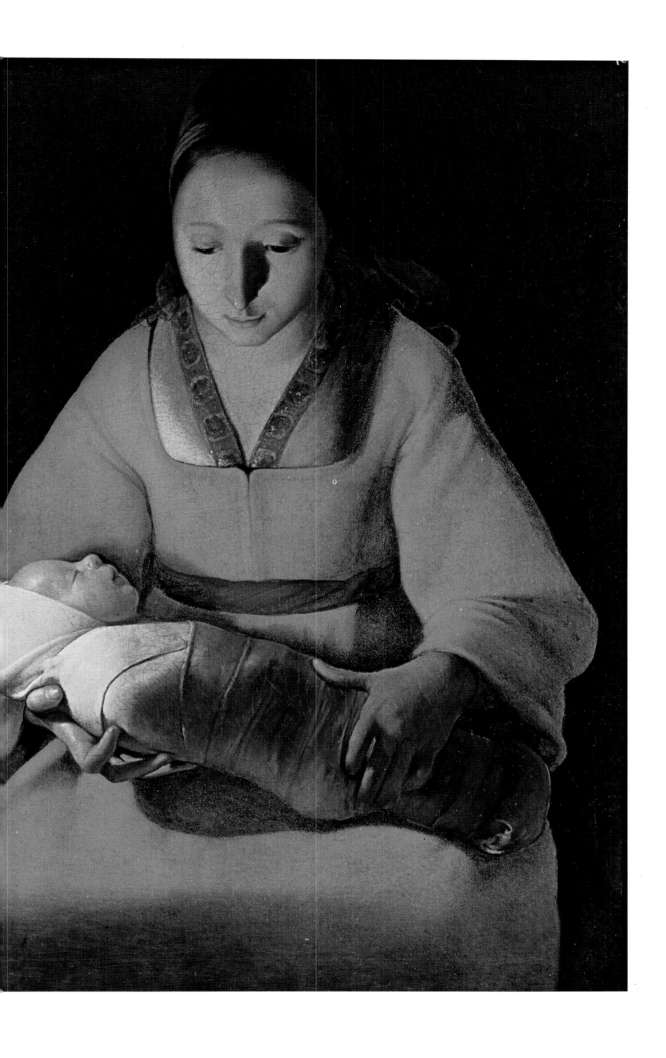

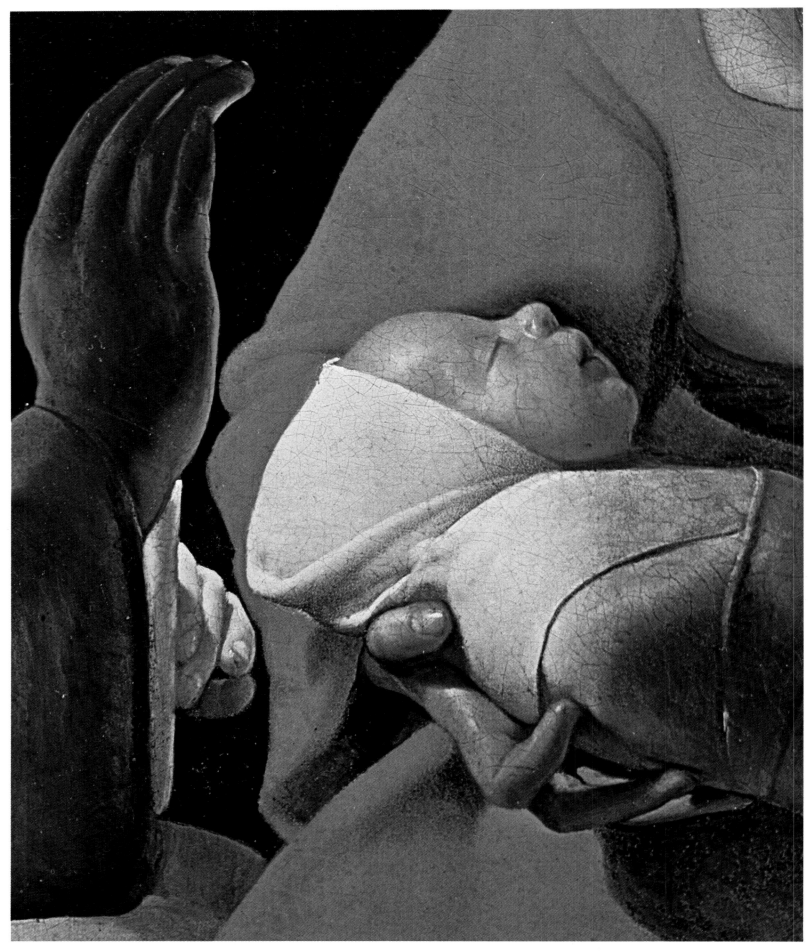

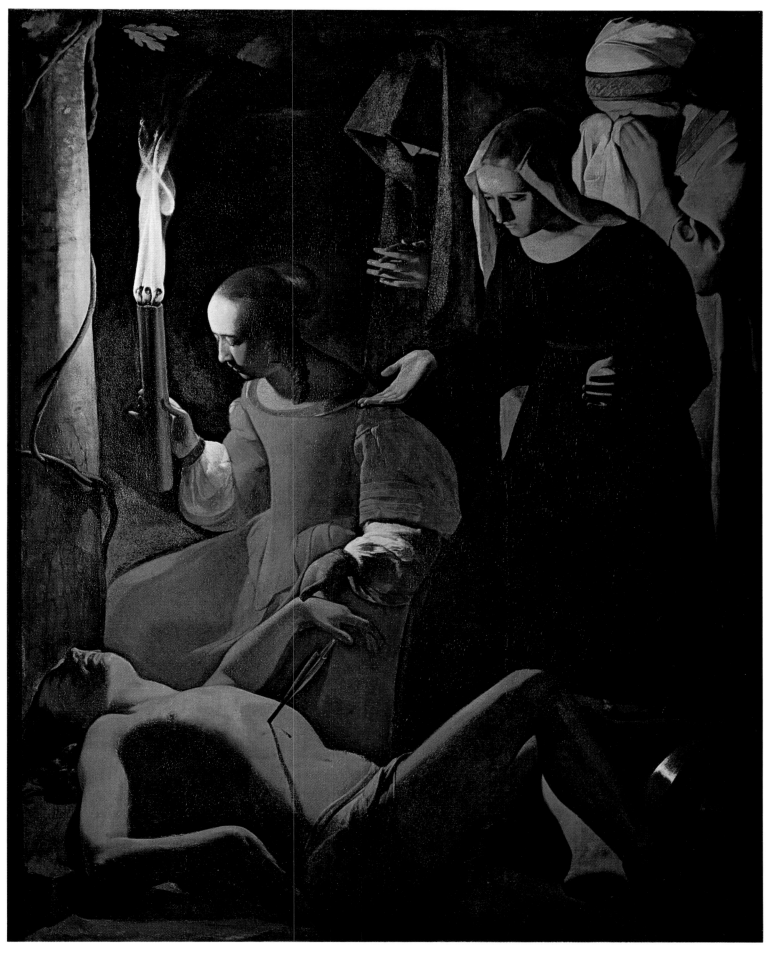

TAV. LVI   SAN SEBASTIANO CURATO DA IRENE   Broglie, Chiesa parrocchiale   [n. 64]
Particolare (cm. 34×23).

TAV. LVII   GIOBBE E LA MOGLIE   Epinal, Musée Départemental des Vosges   [n. 66]
Assieme (cm. 145×97).

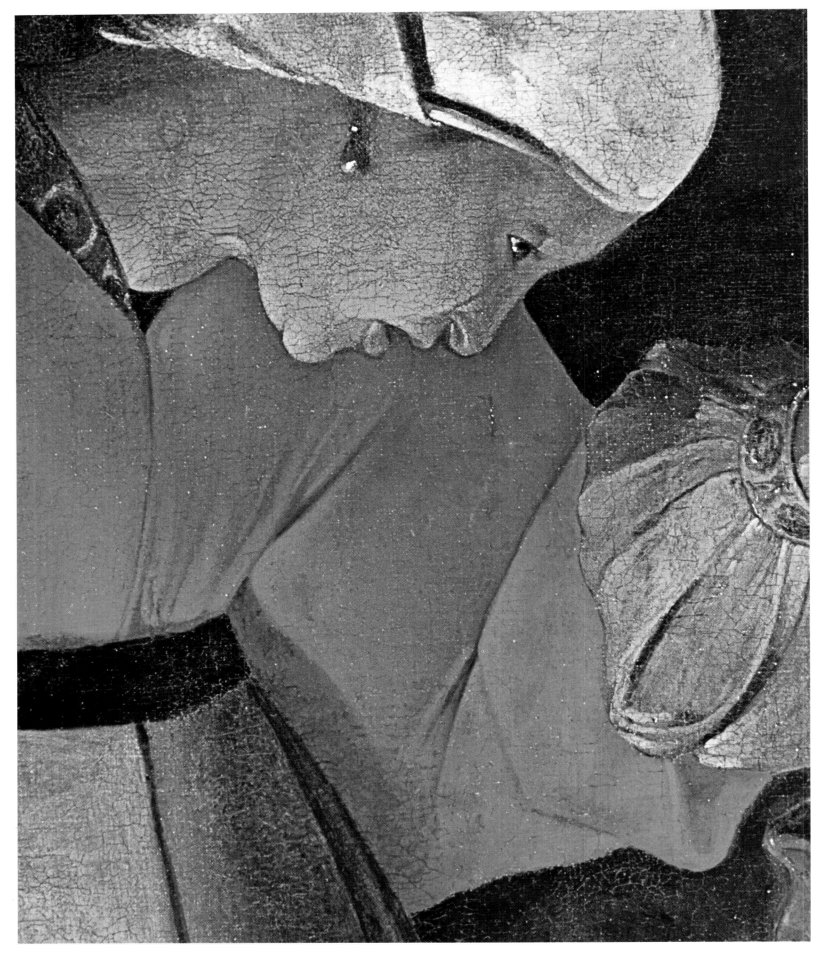

TAV. LVIII GIOBBE E LA MOGLIE Epinal, Musée Départemental des Vosges [n. 66]
Particolare (cm. 38×31).

TAV. LIX   GIOBBE E LA MOGLIE Epinal, Musée Départemental des Vosges [n. 66]
Particolare (cm. 38×31).

LA NEGAZIONE DI SAN PIETRO   Nantes, Musée des Beaux-Arts   [n. 68]
Assieme (cm. 120×160).

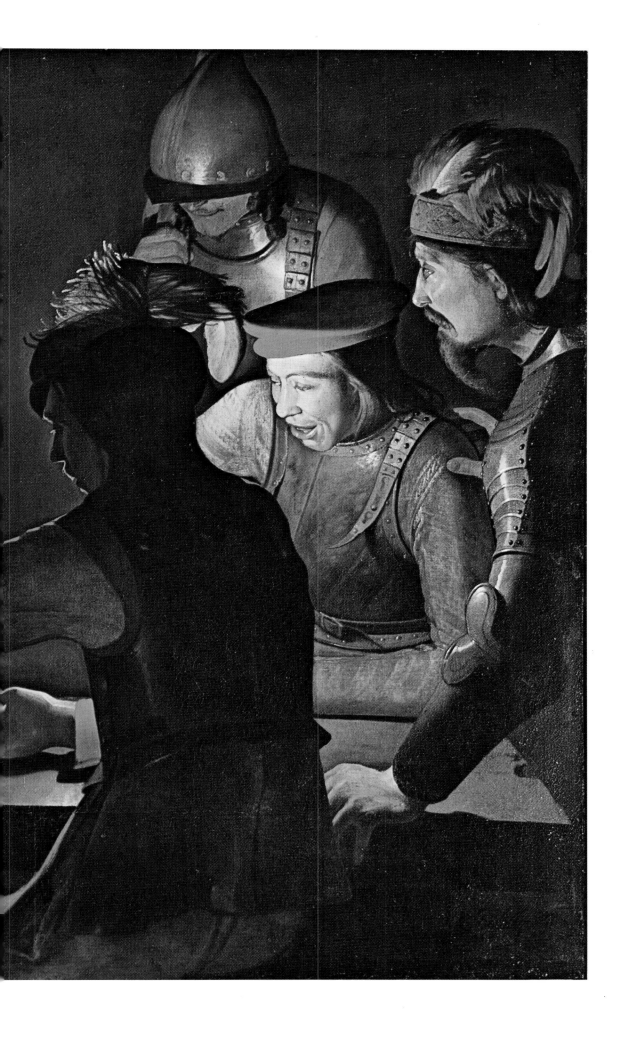

TAV. LXII   GIOCATORI DI DADI Middlesbrough, Teesside, Museum [n. 71]
             Assieme (cm. 92,5×130,5).

TAV. LXIII   GIOCATORI DI DADI Middlesbrough, Teesside, Museum [n. 71]
Particolare (cm. 30,5×25).

TAV. LXIV   GIOCATORI DI DADI Middlesbrough, Teesside, Museum [n. 71]
Particolare (cm. 30,5×25).

Analisi
dell'opera pittorica di
Georges de La Tour

Convenzioni
e abbreviazioni

Allo scopo di rendere immediatamente palesi gli elementi essenziali di ciascuna opera, l'intestazione di ogni 'scheda' porta:

1) il *numero* del dipinto, corrispondente all'ordine cronologico adottato dall'Autore; a tale numero si fa riferimento quando l'opera venga citata nel corso del volume;

2) il *titolo* del dipinto, con una eventuale integrazione, in lettere minuscole, atta a distinguere l'opera in esame da altre di tema analogo; e con eventuali altri titoli, in lettere maiuscole, che siano o siano stati in uso, anche erroneamente;

3) l'*ubicazione* attuale del dipinto, o l'ultima a nostra conoscenza; nel caso che non si trovi indicata alcuna ubicazione, l'opera è da considerarsi perduta o comunque in località attualmente ignota;

4) un simbolo relativo al *grado di autenticità* (si veda qua sotto);

5) l'eventuale indicazione abbreviata di *frammentarietà* (si veda qua sotto);

6) l'indicazione abbreviata della *tecnica pittorica* (si veda qua sotto);

7) l'indicazione abbreviata del *supporto* (si veda qua sotto);

8) le *dimensioni*, in centimetri (prima l'altezza, poi la base);

9) l'indicazione abbreviata circa l'eventuale presenza della *firma* (si veda qua sotto);

10) l'indicazione abbreviata circa l'eventuale presenza della *data* o circa la databilità accertabile su basi documentarie;

11) l'indicazione dell'eventuale partecipazione dell'opera in esame alla mostra di La Tour allestita nel maggio 1972 all'Orangerie di Parigi (abbreviata con "Or.") e il relativo numero di catalogo.

Ciò, per quanto riguarda le opere sicuramente superstiti. Nel caso di opere disperse e delle quali non sussistano riproduzioni fotografiche, ad accompagnamento delle relative 'schede', elencate secondo il probabile ordine cronologico, si forniscono — quando esistano — riproduzioni e relativi ragguagli di copie incise o dipinte; a queste si riferiscono eventuali indicazioni analoghe a quelle suddette, ma che appunto siano precedute dal simbolo designante le copie (si veda qua sotto).

Esecuzione

⊞ autografa

⊡ con aiuti

⊞ con estesa collaborazione

⊞ autografia prevalentemente accolta

⊞ autografia prevalentemente respinta

▦ attribuzione recente

⊞ copia antica

☐ indicazioni fornite nel testo

Tecnica

inc incisione

dis disegno

ol olio

Supporto

r rame

tl tela

tv tavola

Dati accessori

d opera datata

f opera firmata

fr frammento

* circa (riferito alla data o alle dimensioni)

82

Bibliografia
essenziale

Per quanto la scoperta di La Tour sia recente, la letteratura bibliografica che lo riguarda è ormai vasta. Nel catalogo dell'esposizione Georges de La Tour *allestita a Parigi (Orangerie des Tuileries) nel 1972 (2ª ediz.) si troverà un elenco di cataloghi, libri e articoli che supera le quattrocento 'voci', pur arrestandosi agli inizi del 1972.*

La bibliografia qui segnalata mira a una rapida ed esauriente iniziazione all'arte di La Tour e ai problemi che il suo ricupero ha posto e ancora pone agli studiosi.

1° - MONOGRAFIE

P. JAMOT, *Georges de La Tour*. Avec un Avant-propos et des Notes par TH. BERTIN-MOUROT, Paris 1942, e 1948².

F.-G. PARISET, *Georges de La Tour*, Paris 1948 (rimane lo studio fondamentale sull'artista).

S. M. M. FURNESS, *Georges de La Tour of Lorraine*, London 1949.

V. BLOCH, *Georges de La Tour*, Amsterdam 1950; Milano 1953.

M. ARLAND - A. MARSAN, *Georges de La Tour*, Paris 1953.

A. OTTANI CAVINA, *La Tour*, Milano 1966; Paris 1967.

A. SZIGETHI, *Georges de La Tour*, Budapest 1971.

H. TANAKA, *L'œuvre de Georges de La Tour*, Tokio 1972 (con riassunto in francese).

P. LANDRY - P. ROSENBERG - J. THUILLIER, Catalogo dell'esposizione *Georges de La Tour*, Orangerie des Tuileries, 1972².

2° - STUDI e RACCOLTE DI DOCUMENTI *(essenziali per seguire la riscoperta del pittore: 1652-1948)*

DOM CALMET, *Bibliothèque Lorraine*, 1751, IV.

L. CLÉMENT DE RIS, *Les musées de province*, 1861, e 1872².

A. JOLY, *Du Mesnil-La Tour, peintre*, "Journal de la Société d'Archéologie Lorraine", 1863.

L. GONSE, *Les chefs d'œuvre des musées de France*, 1900.

H. VOSS, *Georges Du Mesnil de La Tour*, "Archiv für Kunstgeschichte", 1915, 3-4.

V. BLOCH, *Georges (Dumesnil) de La Tour (1600-1652)*, "Formes", 1930.

H. VOSS, *Tableaux à éclairage diurne de Georges de La Tour*, "Formes", 1931.

W. WEISBACH, *Französische Malerei des XVII. Jahrhunderts im Rahmen von Kultur und Gesellschaft*, 1932.

P. JAMOT - CH. STERLING, Catalogo dell'esposizione *Les peintres de la Réalité en France au XVIIᵉ siècle*, Paris, Musée de l'Orangerie, 1934.

P. JAMOT, *Le réalisme dans la peinture française du XVIIᵉ siècle. De Louis Le Nain à Georges de La Tour...*, "Revue de l'Art ancien et moderne", 1935.

R. LONGHI, *I pittori della realtà in Francia...*, "L'Italia letteraria", 19 gennaio 1935.

F. G. PARISET, *Textes sur Georges de La Tour à Lunéville*, "Bulletin de la Société de l'Histoire de l'Art français", 1935.

CH. STERLING, *Les peintres de la réalité en France au XVIIᵉ siècle: les enseignements d'une exposition. I. Le mouvement caravagesque et Georges de La Tour*, "Revue de l'Art ancien et moderne", 1935.

P. JAMOT, *Georges de La Tour. A propos de quelques tableaux récemment découverts*, "Gazette des Beaux-Arts", 1939.

A. BLUNT, *The 'Joueur de vielle' of Georges de La Tour*, "The Burlington Magazine", maggio 1945.

3° - GIUDIZI e CONTRIBUTI RECENTI (1948-1972)

A. BLUNT, *Georges de La Tour*, "The Burlington Magazine", 1950.

A. MALRAUX, *Les voix du silence*, 1951.

CH. STERLING, *Observations sur Georges de La Tour...*, "La Revue des Arts", settembre 1951.

H. TRIBOUT DE MOREMBERT, *Du nouveau sur le peintre des nuits. Georges de La Tour et ses familiers*, "Le Figaro Littéraire", 6 agosto 1955.

F. G. PARISET, *Mise au point provisoire sur Georges de La Tour*, "Cahiers de Bordeaux", 1955.

CH. STERLING, in Catalogo dell'esposizione *Il Seicento europeo*, Roma 1956.

M. LACLOTTE, Catalogo dell'esposizione *Le XVIIᵉ siècle français. Chefs d'œuvre des musées de province*, Paris, Petit-Palais, 1958.

F. GROSSMANN, *A Painting by Georges de La Tour in the Collection of Archduke Leopold Wilhelm*, "The Burlington Magazine", 1958.

F. G. PARISET, *A newly Discovered La Tour: The Fortune Teller*, "The Metropolitan Museum of Art Bulletin", marzo 1961.

F. G. PARISET, *La Tour*, in "Enciclopedia universale dell'arte", 1963, VIII.

J. THUILLIER, *Georges de La Tour*, in Thuillier-Châtelet, *La peinture française. I. De Fouquet à Poussin*, 1963.

F. GEBELIN, *L'époque Henri IV et Louis XIII*, 1969.

CH. WRIGHT, *A Suggestion for Etienne de La Tour*, "The Burlington Magazine", 1969.

CH. WRIGHT, *Georges de La Tour. A Note on his early Career*, "The Burlington Magazine", 1970.

A. BLUNT, *Georges de La Tour at the Orangerie*, "The Burlington Magazine", 1972.

B. NICOLSON, *Quest for La Tour*, s.l., s.d.

B. NICOLSON - CH. WRIGHT, *Georges de La Tour et la Grande-Bretagne...*, "La Revue du Louvre...", 2, 1972.

J. THUILLIER, *Georges de La Tour: trois paradoxes*, "L'Oeil", aprile 1972.

F. G. PARISET, *Consécration d'un grand peintre: Georges de La Tour*, "Plaisir de France", maggio 1972.

A. OTTANI CAVINA, *La Tour all'Orangerie*, "Paragone", novembre 1972.

Documentazione sull'uomo e l'artista

Un compendio particolareggiato di tutti i documenti finora scoperti su La Tour, con la riproduzione diplomatica degli atti principali, viene fornito nel catalogo della mostra di Parigi dedicata al maestro nel 1972 (2ª ediz., pag. 57-84). Qui se ne dà una sintesi esauriente, pensiamo, ma che di proposito esclude ogni elemento dubbio e scarta le ipotesi non essenziali, per quanto affascinanti possano apparire.

1593. Georges de La Tour nasce a Vic, grosso borgo sulla Seille, in Lorena, ma non nel ducato di Lorena; Vic dipendeva in quel tempo dai vescovi di Metz e quindi dal re di Francia, dato che il vescovado, già vassallo dell'Impero, era stato posto nel 1556 sotto la protezione reale. Dall'atto di battesimo, datato 14 marzo, risulta figlio di Jean de La Tour, fornaio, e di Sibylle Mélian sua moglie. H. Tribout de Morembert ha recentemente scoperto (1972) un gruppo di documenti comprovanti che il contratto nuziale di Jean e Sibylle risaliva alla fine del dicembre 1590; che la madre di Sibylle, Marguerite Trompette, si era successivamente sposata con un corriere di cognome Mélian, poi con un salnitraio, tale Demange Henry; che la stessa Sibylle era vedova di Nicolas Bizet, che l'aveva sposata nel 1583 e dal quale aveva avuto due figli; infine che la si incontra anche — e il fatto si spiega assai male — sotto il nome di Sibylle de Cropsaux. Georges appartiene dunque a un ambiente di artigiani e piccoli proprietari (i parenti sono muratori, calzolai, sarti, ma vi figurano anche un notaio e un canonico di Marsal, ecc.) che gode di qualche agiatezza. Tutta la famiglia è cattolica: Vic era una roccaforte del cattolicesimo, in contrasto col protestantesimo affermatosi nei dintorni.

1593-1605. La Tour passa certamente l'infanzia a Vic, dove è stabilita la sua famiglia. Fra il 1594 e il 1600 si ha notizia della nascita di cinque tra fratelli e sorelle suoi; un fratello maggiore era già nato nel 1591.

1605-1610 c. Non si conosce che cosa abbia determinato la vocazione di La Tour, né la bottega ove fu apprendista.

Sembra tuttavia verosimile una formazione iniziale a Nancy, ove già lavoravano numerosi pittori, fra cui Bellange e Claude Israël.

1610-1616 c. Terminato il primo apprendistato, La Tour si reca forse in un centro importante. Nonostante l'opposto parere di vari critici, a noi sembra quasi sicuro un suo soggiorno in Italia, anche perché tutti i giovani lorenesi del tempo, come François de Nomé, Didier Barra (il futuro Monsù Desiderio), Claude Deruet, Jean Le Clerc, Jacques Callot, Claude Gelée e altri, compirono il viaggio a sud delle Alpi. Tuttavia, al momento non si possono avanzare che supposizioni; soltanto una nota degli inizi del Settecento, in un manoscritto relativo all'abbazia di Saint-Antoine de Viennois, accenna a La Tour come "allievo di Guido [Reni]", ma ignoriamo se l'autore disponesse di una fonte sicura o semplicemente usasse una di quelle definizioni allora tanto comuni.

1616. Georges de La Tour ritorna a Vic. Appare per la prima volta nei documenti il 20 ottobre, come padrino della figlia di un vicino. Da questo momento le citazioni si moltiplicano.

1617. La Tour sposa Diane Le Nerf; il contratto nuziale (esistente) viene stipulato il 2 luglio. La dote è modesta, ma il matrimonio appare assai brillante per il figlio di un fornaio. Diane, che sembrerebbe nata nel 1591, è figlia del nobile Jean Le Nerf, argentiere del duca di Lorena e residente a Lunéville. Grazie ai numerosi fratelli, sorelle, cugini e congiunti, la sposa si trova imparentata con tutta l'aristocrazia locale e i notabili della regione. Insomma, la moglie introduce La Tour in un ambiente di piccoli signori, magistrati, giuristi, ecc., che gli permette di aspirare a un rapido miglioramento sociale.

1619. Nasce il primo figlio di Georges, Philippe, che però sembra essere vissuto poco. Frattanto, nel 1618, era morto suo padre, Jean de La Tour; e nello stesso anno scompare anche il suocero, Jean Le Nerf (30 giugno 1618). Divenuto ormai capo della famiglia, La Tour, che secondo la tradizione locale da principio era probabilmente rimasto con la moglie presso i genitori, deve decidere una sistemazione definitiva, senza dubbio facilitato dalla duplice eredità.

1620. Per trasferirsi nel paese della moglie, Lunéville (anche questo un grosso borgo, ma dipendente dal ducato di Lorena), La Tour ottiene lettere di esenzione concesse dal duca Enrico II in data 10 luglio. In pratica, esse gli conferiscono privilegi simili a quelli della nobiltà. La Tour non si stabilisce dunque a Nancy, ove i posti ufficiali sono ormai occupati e la concorrenza è considerevole, ma nella residenza prediletta dei duchi di Lorena, che proprio allora stavano costruendo un importante castello. La Tour si sistema subito e assume un apprendista, Claude Baccarat, con contratto stipulato il 19 agosto. A Lunéville egli ritrova i congiunti della moglie, coi quali stringe intime relazioni, in particolare con la famiglia del notaio Etienne Gérard.

1621. Nasce Etienne, battezzato il 2 agosto, secondo figlio di La Tour e il solo che arriverà alla maturità.

1623. La fama di La Tour comincia a diffondersi e a procurargli agiatezza. Il 12 luglio il duca Enrico II gli acquista una tela per 123 franchi; poi un'altra all'inizio del 1624 per 150 franchi (una "Immagine di san Pietro"; si veda al n. 4). Il 7 dicembre l'artista compera dalla suocera l'importante proprietà detta "de la Licorne" per il prezzo, considerevole, di 2.600 lire.

1625-1631. Periodo felice, in cui La Tour sembra acquistare in pari tempo celebrità e ricchezza. I numerosi documenti ritrovati (atti di nascita di parecchi figli e figlie, atti di battesimo nei quali Georges o sua moglie figurano come padrino o madrina, contratti d'assunzione di apprendisti, documenti notarili di ogni genere) provano la presenza dell'artista a Lunéville e la sua attività; qualche lacuna non esclude comunque la possibilità di viaggi. Purtroppo, invece, non si sono ancora scoperti né documenti né date relativi alla sua produzione, senza dubbio considerevole.

1626. Uno strano documento informa che il comune ha pagato 1 grosso e 8 denari a un fabbro per "aver strappato la serratura dal granaio di La Tour, pittore, al fine di far consegnare ai poveri il grano contenuto in tale granaio, e per aver fornito un catenaccio". Il documento ha provocato vari appunti sfavorevoli al pittore; però va inteso con prudenza, poiché sembra che proprio quell'anno La Tour abbia prestato un altro granaio al comune, e non è d'altronde specificato che il grano fosse di sua proprietà. Non si può tuttavia escludere che l'artista avesse ormai raggiunto un grado tale di agiatezza da figurare tra quei borghesi che, correndo tempi di carestia, accumulavano il grano per timore dell'avvenire o a fini di speculazione; così che i municipi, spesso sotto la pressione popolare, li costringevano a mettere in vendita le provviste a un prezzo 'politico'.

1631-1635. La situazione politica della Lorena si complica: gli intrighi del duca Carlo fra l'Impero e la Francia divengono sempre più pericolosi e a poco a poco conducono alla guerra. Lunéville, che era sede di guarnigione, viene continuamente minacciata e i dintorni sono saccheggiati dalle truppe. Inoltre, nel 1633, nel borgo infuria la peste (si veda al n. 31). L'attività artistica di La Tour deve soffrirne parecchio, ma la ricchezza gli consente di profittare delle difficoltà per alcune vantaggiose speculazioni.

1636. Ai primi dell'anno La Tour assume un nuovo apprendista, cioè suo nipote François Nardoyen, con contratto del 28 febbraio. Nonostante la crescente gravità della situazione, sembra dunque che egli preveda di continuare a lavorare a Lunéville. Il 28 marzo il governatore francese di Lunéville, capitano Sambat de Pédamont, fa da padrino a sua figlia Marie. Ma ai primi d'aprile scoppia di nuovo la peste, e la stessa casa di La Tour ne è colpita: muore infatti il nipote.

fine 1636-1643. A partire da questo momento, e per sei anni, le menzioni di La Tour a Lunéville o in Lorena non scompaiono del tutto ma diventano stranamente rare, mentre nei documenti locali continuano ad apparire i suoi figli Etienne e Claude. Si ha l'impressione che la famiglia non abbia abbandonato la Lorena, ma che Georges vi ritorni solo a intervalli, per sorvegliare le proprietà e gli interessi e regolare gli affari pendenti.

La situazione è divenuta tragica; infuria la guerra e nel 1638 la città viene messa a ferro e fuoco e saccheggiata; non vi rimangono che trenta famiglie. Nell'incendio e nella rovina delle chiese e dei conventi dei dintorni, sparisce probabilmente la maggior parte della produzione giovanile di La Tour.

È ben possibile che quest'ultimo, in un momento in cui la Lorena offriva così poche possibilità per un pittore, andasse a cercar fortuna nella stessa Parigi, visto che improvvisamente, nel dicembre 1639, in un atto di battesimo celebrato a Saint-Sébastien di Nancy, dove figura come padrino, gli è attribuito il titolo di "Pittore ufficiale del Re" (cioè di Luigi XIII). La Tour non avrebbe avuto alcun interesse a brigare per tale titolo, che di solito comportava grosse spese e l'intervento di personaggi influenti. La patente di pittore regio gli era invece necessaria per lavorarvi, giacché lo sottraeva alle vessazioni della corporazione parigina dei pittori e scultori, più che mai risolta ad allontanare dalla città gli artisti provinciali e stranieri. Si sa d'altra parte che alcune collezioni primarie di Parigi contenevano dei La Tour (André Le Nôtre, Louvois), ed è sicuro che il pittore fu in contatto con Luigi XIII, morto nel 1643; nel 1751 dom Calmet riferiva che "egli donò al re Luigi XIII un dipinto di sua mano raffigurante un san Sebastiano nella notte; [...] opera [...] così perfetto che il re fece togliere dalla propria camera tutti gli altri quadri per lasciarvi quello solo". È naturale supporre che il dono fosse propriamente destinato a ottenere la desiderata patente.

1643. Dopo aver conosciuto le peggiori miserie (peste, saccheggi, carestie), le violenze più terribili (stregoneria, antropofagia, deliri collettivi) e le più sublimi abnegazioni (da parte di missionari e medici), la Lorena si avvia lentamente a un periodo più calmo, mentre l'autorità francese si con-

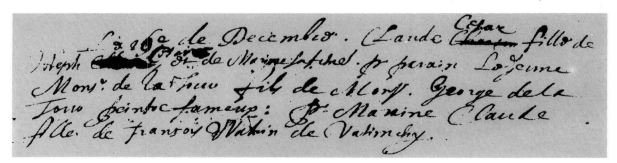

1. - *Dal registro dei battesimi (1644) nell'Archivio municipale di Lunéville (a partire dalla fine del secondo rigo): "Le jeune Monsᵣ de La Tour fils de Monsᵣ Georges de La Tour peintre fameux" (si veda 1644).*

solida. Nel 1643, e forse anche alla fine dell'anno precedente, La Tour è di nuovo a Lunéville; vi si trova anche il figlio Etienne, ormai ventiduenne. Il 16 settembre viene assunto un nuovo apprendista, Chrestien George: segno evidente della decisione di ristabilirsi a Lunéville; e ai primi dell'anno successivo La Tour affitterà la commenda di Saint-Georges, una vasta proprietà concernente casa, poderi e cappella, e che dipende dall'ordine di San Giovanni di Gerusalemme: forse, soprattutto, in considerazione dei diritti di esenzione che vi sono connessi.

1644. Fatto senza precedenti: in un atto di battesimo La Tour è designato come "Monsʳ Georges de La Tour peintre fameux" (fig. 1); la scritta prova che gli "anni terribili" non hanno nociuto alla sua fama, e semmai le hanno giovato.

Alla fine dell'anno egli esegue la prima di quelle tele che d'ora innanzi Lunéville offrirà come regalo di buon anno al governatore della Lorena (in nome del re di Francia, mentre il duca rimane in esilio) La Ferté-Sennectère, grande appassionato di pittura, che sembra apprezzare sia i dipinti di La Tour sia quelli di Deruet. Dai numerosi documenti conservati, se ne può così stabilire l'elenco:

fine del 1644: una "Natività di Nostro Signore", pagata 700 franchi (si veda al n. 49);

fine del 1645: un dipinto di tema ignoto, pagato 600 franchi;

fine del 1646: forse nessun quadro (non è stato rintracciato alcun documento);

fine del 1647: nessun quadro, ma un regalo di 600 franchi in denaro;

fine del 1648: una "Immagine di sant'Alessio", pagata 500 franchi, che potrebbe essere forse la composizione di Nancy (si veda al n. 61);

fine del 1649: un "quadro di san Sebastiano", pagato 700 franchi, che potrebbe essere forse la composizione di Bois-Anzeray (si veda al n. 64);

fine del 1650: una "Negazione di san Pietro", pagata 650 franchi, che potrebbe forse essere il dipinto di Nantes (n. 68), firmato e recante la data di quell'anno;

fine del 1651: un dipinto di tema ignoto, pagato 500 franchi.

1645. La Tour firma e data le *Lacrime di san Pietro* ora a Cleveland (n. 51), uno dei due dipinti datati sinora reperiti.

1646. Etienne, venticinquenne e che ha quindi raggiunto la maggiore età, è designato per la prima volta come pittore. Ormai sembra che Georges de La Tour associ strettamente il figlio a tutte le proprie vicende, si tratti di affari o di pittura.

In questo stesso anno gli abitanti di Lunéville rivolgono una petizione al duca di Lorena, che si trova ancora in esilio a Lussemburgo ma che conserva un'autorità non soltanto nominale e conduce contro i francesi una guerra amministrativa da cui i lorenesi tentano di trarre vantaggio. Questo celebre documento indica Georges de La Tour con termini che sono apparsi scandalosi (si veda più sopra, nell'introduzione). Non si saprebbe come respingere il ritratto di La Tour suggerito dal documento: uno fra i tre ricchi proprietari di Lunéville oltre ai conventi, grande appassionato di cani e di caccia, che si ostina a darsi le arie del gentiluomo di campagna, mentre tutti ricordano bene che, veramente, non è nobile e non ha alcun diritto di comportarsi da "signorotto locale". Ma la severità del giudizio si può spiegare forse con l'insieme del memoriale (una domanda di soppressione delle esenzioni), redatto per compiacere il duca e per accusare evidentemente coloro che godono i favori dell'autorità francesi: proprio mentre La Tour appare nelle grazie del governatore inviato da Parigi...

1647. Con un contratto del 23 febbraio Etienne sposa Anne Catherine Friot, figlia di un ricco mercante di Vic. L'atto designa Georges come "pittore dotato di pensione reale"; ma sinora nulla ha confermato tale circostanza.

1648. La Tour, cinquantacinquenne, deve conservare tutta la propria forza fisica, a giudicare da un documento, assai poco esplicito però, che parla di "bastonate" da lui inflitte a una guardia del comune, certo Drouin Bastien.

In agosto gli muore la figlia Marie, di dodici anni, vittima del vaiolo. Oltre ai dieci figli di cui sono pervenuti i nomi, altri sei, di cui pure sussistono tracce documentarie, devono essere morti fin da prima del 1640: purtroppo mancano i registri locali dei decessi tra il 1625 e il 1640.

In settembre, La Tour si reca a Vic per assumere un nuovo apprendista, il solo che sembra aver posseduto una vera personalità, Jean-Nicolas Didelot, nipote del curato di Vic. Il contratto, del giorno 10, stabilisce che in caso di bisogno il ragazzo farà da modello; oltre che apprendista pittore, egli sarà una sorta di paggio. La Tour si rivela sempre più attivo, sempre più indaffarato; ha bisogno di qualcuno per "governare il suo cavallo mattina e sera", per andare "in campagna a recapitare lettere", per "aver cura della sua persona" e "del suo cavallo" negli spostamenti, certo frequenti. D'altra parte il contratto precisa che in caso di morte di Georges, il giovane Jean-Nicolas sarà messo sotto la tutela di Etienne, "perché la natura della professione esige di essere continuata con gli stessi princìpi e precetti". È questa una notizia di fondamentale importanza: nonostante il ricco matrimonio, che gli consente di disporre di una notevole fortuna, Etienne continua ad abitare a Lunéville e sicuramente collabora col padre. La sua presenza costante a fianco di Georges, testimoniata da numerosi atti, deve riguardare anche la bottega. È abbastanza probabile che tale collaborazione si risolva, per alcune opere, in un'esecuzione più sommaria, come nel *Sant'Ales-* sio del 1648 (n. 60) e nel *San Sebastiano* di Berlino (n. 65). È anche possibile che la produzione di questo periodo tenda a dividersi in due gruppi: da una parte, dipinti interamente concepiti ed eseguiti da Georges, come il *San Sebastiano* di Bois-Anzeray (n. 64) e il *Giobbe* (n. 66), sempre più audaci di concezione e sottili di fattura, in cui l'immagine radiografica si rivela sempre meno importante; dall'altra parte, opere che sfruttano invenzioni precedenti riprendendo con diversa gamma di colori e con più forte stilizzazione composizioni senza dubbio famose; la stesura viene lasciata, in grado differente, a Etienne, mentre il padre interviene soltanto alla fine; la radiografia o l'usura mostrano in questi casi gli strati inferiori più sommari, come nella *Negazione di san Pietro* del 1650 (n. 68) e nei *Giocatori di dadi* (n. 71).

1650. Di nuovo La Tour bastona gagliardamente, un "agricoltore" stavolta, certo Fleurant Louys, cui il pittore rimprovera i danni causati nelle proprie terre. Il contadino è ridotto a mal partito, ed Etienne deve intromettersi per farlo desistere dalla querela. La Tour se la cava soltanto pagando una somma piuttosto consistente, e la conciliazione avviene il 23 luglio.

In settembre nasce il nipotino Jean-Hyacinthe.

La Tour firma e data la *Negazione di san Pietro* ora a Nantes; potrebbe trattarsi del dipinto offerto al maresciallo de La Ferté i primi dell'anno successivo (si veda al n. 68).

1651. Non si è rintracciato nessun documento, da gennaio a dicembre.

1652. Il 15 gennaio Diane, il 30 Georges e il 22 il loro cameriere Jean, detto Montauban, muoiono per una epidemia, designata come "pleurisia". Sembra che La Tour non abbia avuto il tempo di fare testamento se non "verbalmente", e si ha notizia di un solo legato, per "una casa rustica con giardino", al vicino convento dei cappuccini.

Dei dieci figli a noi noti, lasciava, oltre a Etienne, soltanto due figlie, Claude e Chrétienne, che a quanto pare non si sposeranno. Padrone di una bella fortuna, Etienne, che morirà il 10 aprile 1692, abbandonerà abbastanza presto la pittura; comperata la proprietà franca di Mesnil, presso Lunéville, si farà nominare vice-podestà a Lunéville da Carlo IV ritornato al governo del ducato (1660); poi nel 1669 otterrà la trasformazione in feudo della proprietà franca; e infine nel 1670 si procurerà le patenti di nobiltà. Egli compie così quell'ascensione sociale che Georges aveva tanto ostinatamente perseguito; nello stesso tempo si mostra però incurante di salvare dall'oblio l'attività del padre, ormai giudicata plebea. L'oblio si stende infatti rapidamente e, nonostante una citazione elogiativa di dom Calmet nel 1751, si dissiperà solo agli inizi del nostro secolo.

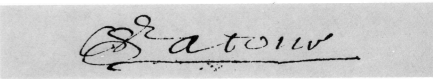

2. - *Firma di Georges de La Tour (1626).*

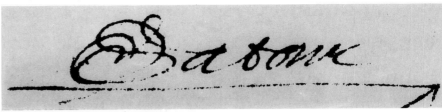

3. - *Firma di Georges de La Tour (1631).*

4. - *Firma di Georges de La Tour (1638).*

5. - *Firma di Georges de La Tour unita a quella del figlio Etienne (1647).*

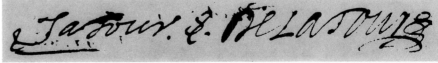

6. - *Firma di Georges de La Tour unita a quella del figlio Etienne (1648).*

7. - *Firma di Etienne de La Tour (1650).*

Le firme
di Georges de La Tour

Non si è finora riusciti a identificare nulla di quanto appartenne a La Tour; tutto sembra scomparso irrimediabilmente: ritratti, oggetti personali, libri, abitazioni, e persino la tomba.

Fa eccezione solo la firma autografa, che appare spesso in calce agli atti reperiti negli archivi. Ne presentiamo alcuni esempi, scelti in momenti diversi della sua vicenda (fig. 2-6). Si noterà che la firma può essere più o meno abbreviata, ma offre sempre una grande eleganza grafica. Negli ultimi anni, cioè a partire dal momento in cui il figlio Etienne si avvicina alla maggiore età, la sua firma accompagna sovente quella del padre (fig. 5-6). Le due firme sono del resto assai simili (fig. 7), mentre quelle delle due figlie, Chrétienne e Claude, appaiono molto più maldestre.

La firma di La Tour appare inoltre su vari dipinti, e talvolta ha suscitato accesi contrasti. Finora soltanto nove opere portano una firma fuori discussione. Tre sono servite come punto di partenza per il 'ricupero' della produzione di La Tour: quella del *San Giuseppe* di Nantes (n. 44; fig. 10), quella della *Negazione di san Pietro* pure a Nantes (n. 68; fig. 13), che vennero entrambe utilizzate da Voss nel 1915, e quella del *Baro* ora al Louvre (n. 30; fig. 9), che fu scoperta da Landry nel 1926 e provò come La Tour avesse dipinto anche quadri 'diurni'. Quattro firme vennero alla luce negli anni successivi: quelle della *Maddalena* del Louvre (n. 47; fig. 11), del *San Tommaso* (n. 27), della *Buona ventura* ora nel Metropolitan Museum (n. 29; fig. 8) e del *Pentimento di san Pietro* (n. 51; fig. 12), la sola, quest'ultima, assieme alla firma della *Negazione* (n. 68; fig. 13), che sia accompagnata dalla data. Due infine sono apparse negli ultimi tempi, cioè quella del *Ragazzo* di Digione (n. 42) e del *Giobbe* di Epinal (n. 66); quest'ultima fu reperita nel corso del restauro del 1972.

Segnaliamo dei casi più passibili di controversie: la firma dei *Giocatori di dadi* di Teesside (n. 71; fig. 16), d'una grafia così maldestra e così diversa da tutte le altre da indurci a considerarla apocrifa, ma che tuttavia deve ricopiare e forse anche coprire una firma cancellata da qualche restauratore, senza dubbio in tempi antichi; la firma dell'*Educazione della Vergine* nella Frick Collection (n. 52; fig. 14), per più giudicata falsa o di mano di Etienne de La Tour, ma che noi, come si dice nel *Catalogo*, riteniamo invece perfettamente autentica; la firma della *Bambina con braciere* (n. 59), finora mal decifrata e che non abbiamo potuto studiare, ma che potrebbe pure essere autentica; infine quella del *Suonatore di ghironda* a Bruxelles (n. 23; fig. 15), di forma e posizione sorprendenti, la quale però si trova su un dipinto così atrocemente mutilato e ripassato che, anche dopo lo studio radiografico, ci è impossibile esprimere un giudizio sicuro. Ricordiamo a puro titolo di cu-riosità le 'firme' che taluni hanno creduto di decifrare su tele estremamente mediocri e che lasciano per lo meno perplessi (si veda al n. D 11).

Sarebbe dunque imprudente trarre conclusioni troppo risolute dalla presenza della firma. Opere di prim'ordine, come il *San Gerolamo penitente* di Grenoble (n. 31), il *San Giuseppe falegname* del Louvre (n. 43), il *Neonato* di Rennes (n. 56), la *Donna che si spulcia* di Nancy (n. 46) e altre, sembrano prive di firma, mentre altre meno ambiziose, come il *Ragazzo* di Digione (n. 42), sono firmate. Soltanto in qualche caso si può pensare che la firma sia stata volutamente cancellata nel Settecento o nell'Ottocento, per consentire attribuzioni che sembravano più lusinghiere. All'inverso di ciò che accade per altri pittori del Seicento, non sembra possibile trovare un principio che presieda, sia pure con le debite anomalie, all'apposizione della firma. Si potrà tutt'al più osservare che solo tre opere 'diurne' sono firmate, e esse sono fra quelle che noi collochiamo alla fine del periodo 'chiaro'. Sono invece firmati più di un terzo fra i quadri 'notturni'. Si può dunque supporre che La Tour assumesse l'abitudine di firmare le proprie opere soprattutto nella seconda metà della carriera, forse a partire dal momento in cui i mali della Lorena lo costrinsero a cercarsi una nuova clientela fuori della sua regione. Le due firme che ci sembrano le prime in ordine cronologico, cioè quelle del *San Tommaso* e della *Buona ventura*, risultano anche le più curate e le più evidenti, e la seconda comprende le parole "Lunevillae Lothar", che si spiegano soltanto se la tela fu dipinta fuori della Lorena o destinata a un committente non lorenese; si ha infatti la sensazione di un marchio inteso a far conoscere il nome dell'artista fuori del consueto campo di attività.

S'impone un ulteriore rilievo. Nelle carte archivali superstiti, la firma di La Tour sembra subire verso il 1631 una drastica metamorfosi. Le due firme anteriori a quell'anno che conosciamo sono spicce e modeste (fig. 2); d'improvviso, nel 1631, compare la magnifica grafia (fig. 3) che, più o meno esibita, permane fino alla morte. Ora, tutte le firme su dipinti che conosciamo mostrano tale seconda forma. Ci si trova perciò indotti a pensare che tutte le opere firmate siano posteriori al 1631, essendo almeno strano che La Tour abbia usato per i dipinti firme del secondo tipo, mentre nei documenti conservava quella del primo tipo. Pertanto, appare impossibile situare (così come a noi sembra impossibile, contrariamente al parere di altri) la *Buona ventura* e i *Bari* all'inizio dell'attività, quando La Tour si stabiliva a Lunéville (Nicolson [1972] e Blunt [1972] datano infatti dette opere fra il 1615-16 e il 1625). Uno studio grafologico delle firme di La Tour, sulla base di tutti i documenti che ne contengono, sarebbe augurabile; tuttavia sin d'ora non si possono trascurare queste indicazioni cronologiche.

8. - *Firma sul dipinto qui catalogato col n. 29.*

9. - *Firma sul dipinto n. 30.*

10. - *Firma sul dipinto n. 44.*

11. - *Firma sul dipinto n. 47.*

12. - *Firma sul dipinto n. 51.*

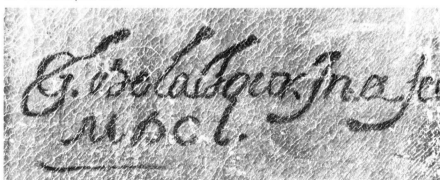

13. - *Firma sul dipinto n. 68.*

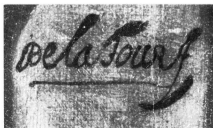

14. - *Firma sul dipinto n. 52.*

15. - *Firma sul dipinto n. 23.*

16. - *Firma sul dipinto n. 71.*

Catalogo delle opere

*Elenco cronologico e iconografico
di tutti i dipinti
di Georges de La Tour
o a lui attribuiti*

Il 'ricupero' dell'opera di Georges de La Tour è iniziato non più di cinquant'anni addietro. Nel 1850, a Nancy, la Société de l'Union des Arts chiedeva invano di segnalarle un'opera di quel "Dumesnil de La Tour" che dom Calmet citava fra gli uomini illustri della Lorena; e nel 1863 Alexandre Joly, pubblicando nel "Journal de la Société d'Archéologie Lorraine" la biografia di La Tour da lui ricostruita, nella conclusione esprimeva il voto che si potesse scoprire "un giorno o l'altro [...], sulle pareti di qualche chiesa di campagna, una tela lacera di questo artista". Dal canto suo, nel 1883, Olivier Merson, conservatore del Musée de Nantes, redigendo il catalogo delle collezioni, esclamava a proposito del *Sogno di san Giuseppe* e della *Negazione di san Pietro*, dopo averne accuratamente citato la firma "G. de La Tour": "Richiamiamo su queste due opere l'attenzione dei ricercatori e degli studiosi. Sarebbe infatti curioso e interessante scoprire qualche elemento su un artista di valore e tuttavia rimasto talmente ignorato, che non si trova il suo nome in nessun luogo, né sulla guida di un altro museo, né in alcun compendio biografico [...]". Evidentemente Merson non era al corrente delle ricerche di Joly e non aveva consultato né Nagler né Fiorillo, che citano entrambi correttamente il nome di La Tour; come lo cita del resto il *Dictionnaire* di Siret pubblicato in quello stesso anno. Ricordiamo infine che un ottimo articolo su *Dumesnil de La Tour* doveva apparire nel *Larousse du XIXᵉ siècle*, senza che insomma nessuno pensasse, entro il 1870, di accostare testi e dipinti...

Si dovette attendere un giovane studioso tedesco, Hermann Voss. Nel famoso scritto pubblicato nel 1915 egli correla le informazioni tratte da dom Calmet e da Joly ai dipinti firmati di Nantes, e con magnifica intuizione vi accosta il *Neonato* di Rennes e l'incisione detta delle *Veilleuses*. Nel 1922 Louis Demonts aggiunge il *Giobbe* di Epinal (accostamento già proposto da Gonse nel 1900), il *San Sebastiano* di Rouen (su suggerimento del Longhi) e, meno felicemente, la *Negazione di san Pietro* del Louvre (n. D 8). Nel 1926, Pierre Landry scopre il *Baro* firmato (n. 30), mentre Voss identifica l'*Adorazione dei*

pastori (n. 50). Da quel momento la ricostruzione procede rapidissima. Nel 1930 Vitale Bloch può pubblicare in "Formes" un elenco di sette 'notturni'; nel 1931 Voss aggiunge alcune tele 'diurne' che i testi non menzionavano ma che la firma del *Baro* basta ad autenticare. Per l'esposizione parigina dei "Pittori della realtà" del 1934, Charles Sterling è in grado di catalogare tredici dipinti. Nel 1942 il volume in cui Thérèse Bertin-Mourot raccoglie gli studi di Jamot viene illustrato da ventidue opere. Infine nel 1948, nella sua grande tesi da laurea, François-Georges Pariset segnala, commenta e riproduce parecchie decine di dipinti, fra originali e copie. La mostra di Parigi dedicata a La Tour nel 1972 — la prima — comprende trentun originali e altrettante opere di studio. Il presente catalogo accoglie settantuno composizioni, circa metà delle quali è

nota solo attraverso copie o citazioni antiche. Si spera che ulteriori scoperte valgano ad aumentare tale numero, rivelando originali perduti o altre composizioni. È questo il nostro voto, e uno degli scopi che il presente volume si prefigge.

* * *

Una ricostruzione tanto protratta nel tempo pone necessariamente problemi di attribuzione e di classificazione. Solo una dozzina di opere risultano firmate; due sono datate. Talora vennero ascritte a La Tour opere che non gli spettavano affatto; inoltre si discute molto sulla cronologia.

Per parte nostra, proponiamo qui una sistemazione in forma critica e cronologica di quanto è stato possibile riunire fino alla data del 30 settembre 1972. In collaborazione con Pierre Rosenberg abbiamo fornito una prima traccia del presente lavoro nel catalogo della mostra

parigina dell'Orangerie, edito nel maggio 1972. Grazie allo studio diretto dei dipinti in occasione della rassegna, ai confronti, all'esame delle radiografie che in parecchi casi ci è stato cortesemente concesso da M.me Hours, direttrice del Laboratorio del Louvre, abbiamo potuto rivedere e correggere qualche punto; non siamo però stati indotti a modificare il principio informatore della nostra classificazione.

Il presente catalogo è basato essenzialmente su un duplice criterio: stilistico e spirituale. Abbiamo attribuito la massima importanza allo svolgimento del colore, della materia pittorica e del tocco; ma nel tempo stesso ci è parso indispensabile, per un pittore come La Tour, tener conto del procedere dell'ispirazione. Soltanto l'accordo fra questi due dati ci sembra decisivo per l'inclusione di un dipinto nel novero degli autografi

e la sua ubicazione nella sequenza cronologica.

Siamo quindi partiti dall'interno dell'opera. Partire dall'esterno, far dipendere la cronologia dai presunti contatti con altri pittori (Le Clerc, Terbrugghen e i caravaggisti nordici, Bigot o chiunque altro) ci sembra una via pericolosa. Non conosciamo praticamente nulla sui viaggi di quel tempo, ma sappiamo che la Lorena era un luogo di incrocio dove tutte le novità penetravano rapidamente. Partire dallo stile dei dipinti per supporre un certo soggiorno, e classificare i dipinti stessi in funzione di tale soggiorno equivale a basarsi su una petizione di principi. Bisogna certamente tenere gran conto delle circostanze, in particolare delle avversità che colpirono la Lorena a partire dal 1631-34, modificando la psicologia del paese e costringendo gli artisti a cercarsi nuovi clienti; ma, secondo un metodo di studio corretto, non si possono impostare le connessioni dell'opera sui soli rapporti con altri pittori.

La cronologia da noi proposta rimane approssimativa e globale. Nella maggior parte dei casi crediamo pericoloso assegnare una data precisa e perentoria. Ciò, per tre motivi propri di La Tour:

1) *la carenza di dati sicuri*: due assolutamente certi, cioè il *San Pietro penitente* del 1645 e la *Negazione di san Pietro* del 1650; e due assai probabili, il *Sant'Alessio* del 1648 e il *San Sebastiano* del 1649: tutti raggruppati in cinque anni, su una carriera di almeno trentacinque;

2) *la carenza di originali superstiti*: costituiscono infatti soltanto la metà delle composizioni note. A evidenza risulta precario tentare una classificazione partendo da incisioni oppure

1

5 incisione

da copie più o meno mediocri;

3) *l'esistenza, ormai evidente, di 'doppi' o di 'serie'*, poiché La Tour stesso riprendeva più o meno fedelmente le sue creazioni anche a distanza di lungo tempo e in uno stile nettamente differenziato (n. 26 e 31; n. 28 e 30; n. 38 e 47; ecc.). Permangono evidentemente taluni caratteri della composizione originale, ma congiunti a un colore, a una tecnica, a uno spirito niente affatto mutati: ne deriva una contraddizione grave, quantunque difficile da valutare con esattezza, negli elementi di datazione che si possono desumere da tali opere. Per lo stesso motivo, anche l'immagine radiografica non offre più un criterio sicuro di classificazione. Se si pensa che probabilmente La Tour adottò i procedimenti operativi del Caravaggio, vale a dire niente disegno preparatorio ma stesura diretta sulla tela, si comprenderà come per queste 'riprese' la radiografia possa offrire un aspetto diverso — più leggero, meno 'lavorato', meno ricco di 'pentimenti' — che non per le 'invenzioni' del medesimo periodo. Purtroppo le molteplici distruzioni non consentono di sapere in quali casi ci troviamo di fronte a una seconda o terza versione.

In condizioni simili, credere alla possibilità di una cronologia 'precisa' ci sembrerebbe non soltanto chimerico, ma fondato su un metodo erroneo. È già molto, a nostro avviso, tentar di stabilire le linee fondamentali della creazione.

Per fornire un'idea quanto più chiara possibile, il presente *Catalogo* elenca di seguito tutte le composizioni che noi crediamo di La Tour, e ne riproduce l'originale oppure, in mancanza, le copie incise o dipinte che sembrano conservarne la testimonianza migliore. Pensiamo che le opere autentiche saranno sufficientemente messe in rilievo dalle convenzioni adottate nel testo (si veda a pag. 82) e dalle tavole a colori che le raggruppano tutte (a eccezione di alcune che apparivano troppo in cattivo stato o la cui riproduzione ci è stata proibita dai proprietari). Abbiamo poi aggiunto un elenco di opere perdute citate dalle fonti ma che non è possibile classificare per mancanza di indicazioni sufficienti ('schede' con numerazione preceduta da 'A', a pag. 99), e un elenco di opere sulle quali la discussione resta aperta ('schede' con numerazione preceduta da 'D', alle pag. 99-100).

Le 'schede' sono state ridotte all'essenziale. La maggior parte dei dipinti hanno suscitato numerose e divergenti opinioni; molte però, specie dopo la mostra parigina del 1972, non appaiono più sostenibili, come hanno riconosciuto coloro stessi che le avevano alimentate. Ci siamo pertanto limitati a menzionarle quando se ne presentava l'occasione, e sempre indicando l'anno in cui furono proposte. Si potrà dunque riferirsi all'opera o all'articolo allora pubblicati, consultando la bibliografia del presente volume o, eventualmente, quella assai più estesa inserita nel catalogo dell'esposizione testé ricordata.

---

tato per la prima volta nel 1972 all'esposizione dell'Orangerie, questo singolare dipinto è stato accolto come opera di La Tour da parecchi esperti (Bloch, Blunt, Rosenberg, Nicolson, ecc.); tuttavia F. G. Pariset (comunicazione orale) lo respinge, con parecchi altri critici. Non è stata data alcuna spiegazione soddisfacente del tema, assai prossimo alle *Vocazioni di san Matteo*, ma senza la figura di Cristo. Si potrebbe pensare che il dipinto sia stato ridotto; oppure che raffiguri un altro episodio religioso (per esempio, Matteo al suo tavolo di usuraio, tema peraltro estremamente raro; o la parabola dei vignaiuoli, ma vi appare un solo lavoratore, che conta parecchi denari; si veda anche l'interpretazione, assai diversa, avanzata per l'analogo dipinto attribuito a Ryckaert nel Nationalmuseum di Stoccolma); o infine che si tratti di un soggetto di genere raffigurante l'usuraio (secondo la C'erbatc'ova) o forse il pagamento dei tributi.

Non si possono negare né i punti di contatto, numerosi e sorprendenti, con La Tour, né le profonde divergenze sia nel colore sia nella tecnica. Questi elementi, tenuto conto dei pochi dati conosciuti sui contemporanei lorenesi di La Tour, lasciano posto a qualche dubbio. Se il dipinto appartiene al maestro, esso dovrebbe infatti collocarsi proprio all'inizio della sua carriera: secondo alcuni critici, cioè, verso il 1616-18; ma in questo caso i rapporti con l'arte di Jean Le Clerc, rientrato in Lorena solo verso il 1621, creerebbero un intricato problema. Oppure verso il 1621-24, ma ciò dimostrerebbe che La Tour dipingeva i notturni sin da quel momento, in concorrenza con Le Clerc, e con uno stile in cui le suggestioni nordiche sembrano apparentarsi a un'esperienza italiana e a sopravvivenze manieristiche.

2
VECCHIO. San Francisco, De Young Memorial Museum (Oakes)

ol/tl 90,5×59,5 [Or. 1]

Assieme al dipinto successivo

(n. 3), forma una coppia identificata verso il 1949 in una collezione svizzera, resa nota nel 1954 da Bloch e pervenuta nel 1956 al De Young Memorial Museum. Dapprima fu accolta con scetticismo a causa della fattura raffinata e del piccolo formato. Accettata da Sterling nel catalogo dell'esposizione di Roma del 1956; categoricamente respinta da Isarlo, che giudicò queste tele come frammenti ritagliati da un "sipario da teatro ambulante" (1957, 1972); lasciata in dubbio da Spear (Catalogo dell'esposizione di Cleveland, 1971). In realtà questi dipinti sembrano preziose testimonianze di una produzione destinata a interni borghesi; e in occasione della mostra del 1972 non pare che la loro autenticità sia più stata messa in forse dai critici seri. Si possono accostare agli studi di tipi contemporanei cari a Callot, che si incontrano nelle incisioni di quest'ultimo in una presentazione altrettanto semplice. Non si tratta tanto di contadini, come si è affermato, quanto di piccoli borghesi di città, dagli abiti ben curati. La cuffia della donna ha fatto pensare a uno studio di contadini romani (Fiocco, 1954), al tempo del probabile soggiorno italiano; sembra invece che i costumi siano semplicemente lorenesi. La tecnica complessa di alcune parti, le pieghe talvolta tormentate alla maniera di Le Clerc (per esempio, le maniche della donna) sembrano confermare una datazione molto precoce.

3
VECCHIA. San Francisco, De Young Memorial Museum (Oakes)

ol/tl 90,5×59,5 [Or. 2]

Si veda n. 2.

4
SAN PIETRO

1624

Il duca di Lorena Enrico II acquistò un dipinto di questo tema dall'artista per 150 franchi anteriormente al luglio 1624; era designato come "immagine di san Pietro" (si veda *Cronologia*, 1624). Grossmann (1958) ha pru-

---

dentemente proposto di assimilare l'opera al *Pentimento di san Pietro* appartenente alla collezione dell'arciduca Leopoldo Guglielmo (n. 5); ma Lepage (1875) pareva conoscere un documento (sinora non rintracciato) secondo cui il quadro sarebbe stato destinato dal duca a ornare la chiesa dei frati minori a Lunéville. In questo caso si tratterebbe di una composizione ignota, forse distrutta in occasione dell'incendio di Lunéville del 1638.

5
IL PENTIMENTO DI SAN PIETRO

ol/tl *135×160*

inc 16,1×22,4 [Or. 33]

Fino dal Seicento appartenente alle collezioni dell'arciduca Leopoldo Guglielmo, descritto nell'inventario del 1659 sotto il nome di La Tour; passato nelle collezioni imperiali di Vienna; inciso due volte nelle raccolte dedicate a queste ultime (si veda la mezzatinta di Anton Joseph Prenner [G 5], col riferimento a Guido Reni, tratta dal *Theatrum Artis pictoriae*, t. III, 1731). Se ne perdono le tracce alla fine del Settecento, ma può darsi che il dipinto esistesse ancora. Grossmann (1958) l'ha accostato all'"Immagine di san Pietro" acquistata dal duca di Lorena nel 1624; ma l'assimilazione resta incerta (si veda n. 4). La data, tuttavia, doveva essere prossima; l'opera si avvicina ai busti di santi che si incontrano per esempio in Terbrugghen verso il 1621.

6
SUONATORE DI GHIRONDA CON CANE. Bergues, Musée Municipal

ol/tl 186×120 [Or. 3]

Citato fra i sequestri durante la

2 [Tav. II]

1
IL DENARO VERSATO. Lwow (U.R.S.S.), Galleria Nazionale di Pittura

ol/tl 99×152 [Or. 32]

Acquistato nel primo quarto dell'Ottocento come un Honthorst per la collezione Dombsky; attribuito a La Tour dalla C'erbatc'ova nel 1970. Presen-

---

3 [Tav. I]

6 [Tav. III-IV]

Rivoluzione (1791) come proveniente dall'abbazia di Saint-Winoc a Bergues; destinato nel 1838 al Museo; scoperto nel 1934 da Pierre Landry che, seguito dalla maggior parte dei critici, vede nel dipinto una replica di bottega. Un recente restauro (1972) ha permesso di constatare che l'opera è assai gravemente danneggiata, senza dub-

7 copia

8 copia

9 copia

11 copia

12 [Tav. VII]

13 [Tav. VI]

13 copia

15 copia

16 copia

17 [Tav. V]

18 copia

19 copia

bio a causa di un brutale restauro del secolo scorso, ma che la qualità delle parti meglio conservate (viso, cane) e alcuni importanti 'pentimenti' (gamba destra) rivelano un originale. Questa tesi sembra ormai accettata. Si tratta senza dubbio della prima interpretazione di La Tour, a noi rimasta, di quel tema del mendicante musicista tanto frequente nell'arte lorenese agli inizi del Seicento (Bellange, Callot, Heinzelet, ecc.): tema che La Tour stesso riprenderà più volte (n. 22-25). Il colore assai sobrio, i fieri contrasti, le finezze della materia, rivelate nelle rare zone rimaste intatte, sembrano collegare direttamente l'opera alla serie degli *Apostoli* (n. 7-19).

Gli Apostoli di Albi

Si tratta di una serie di tredici tele (*Cristo* e i dodici *Apostoli*) del tutto analoghe agli *Apostolados* del Greco, di Zurbarán, ecc.; esse si accostano inoltre alle serie incise da Bellange, Callot, ecc. È citata nella cattedrale di Albi a partire dal 1698; allora ornava la cappella di San Giovanni, e si diceva fosse stata donata dal canonico Nualard. Un recente studio (1972) permette di ricostruire con qualche probabilità le sue vicissitudini: la serie rimase completa almeno fino al 1795, come risulta da

un inventario; ma verso la fine del Settecento o piuttosto in seguito, cioè all'inizio dell'Ottocento, essa dovette subire un infortunio abbastanza comune a quel tempo: senza dubbio a causa del cattivo stato delle tele, furono conservati solo alcuni originali (n. 12 e 17), e quelli rovinati vennero sostituiti da copie probabilmente eseguite da qualche pittore locale. Sembra che questi abbia conservato almeno alcuni originali e li abbia venduti dopo averli rimessi in ordine, secondo un uso assai frequente tra i restauratori antichi (n. 13). Quando la serie fu ritrovata nel Musée Toulouse-Lautrec di Albi e pubblicata nel 1946 da Huyghe, comprendeva ormai soltanto undici tele, di cui nove copie e due originali. L'insieme costituisce, se non altro, un prezioso repertorio dei tipi creati da La Tour durante la prima parte della carriera, e dà la misura del suo realismo giovanile.

7 CRISTO BENEDICENTE

⊞ ol/tl 67×53 Albi, Musée Toulouse-Lautrec [Or. 34]

Si tratta di una figura inattesa in La Tour, che adotta qui uno schema assai tradizionale. La radiografia della tela di Albi ha confermato che anche questa era una copia, eseguita su un frammento di tela antica reimpiegata, raffigurante un signore

in costume del Seicento e un religioso in ginocchio.

8 SAN PIETRO

⊞ ol/tl 67×53 Albi, Musée Toulouse-Lautrec [Or. 35]

Da accostare al n. 5, nel quale si ritrova il gesto così particolare delle mani chiuse l'una sull'altra, che La Tour userà in tutte le raffigurazioni del *Pentimento di san Pietro* (n. 51 e 62).

9 SAN PAOLO

⊞ ol/tl 67×53 Albi, Musée Toulouse-Lautrec [Or. 36]

Da accostare alle versioni del *San Gerolamo che legge* di Hampton Court (n. 20) e del Louvre (n. 21).

10 SAN GIOVANNI

Non se ne conosce alcuna copia; tuttavia è sicura la sua originaria esistenza nella serie degli *Apostoli*.

11 SAN GIACOMO MAGGIORE

⊞ ol/tl 63×51 Albi, Musée Toulouse-Lautrec [Or. 37]

Nella serie, è questa la figura in cui l'interpretazione del costume contemporaneo, secondo la tradizione caravaggesca, risulta più evidente (abito, bastone e fiaschetta da pellegrino).

12 SAN GIACOMO MINORE (erroneamente: SAN GIUDA). Albi, Musée Toulouse-Lautrec

⊞ ol/tl 66×54 [Or. 4]

È uno degli originali conservati ad Albi; la recente radiografia (1972) ne ha confermato la qualità e ha rivelato un importante 'pentimento' (la testa era originariamente piegata a sinistra). Il complesso lavoro di pennello e la raffinatezza dei colori mescolati che evitano i toni locali raggiungono qui la perfezione.

13 SAN FILIPPO (erroneamente: SANT'ANDREA)

⊞ ol/tl 63×52 [Or. 6] Parigi, N. C.

⊞ ol/tl 67×53 Albi, Musée Toulouse-Lautrec [Or. 38]

Ne sono pervenuti sia l'originale, leggermente smangiato in alto (dove è stata aggiunta una striscia di 2 cm.), molto consunto e con qualche rifacimento inesatto, ma che conserva ancora bei brani della stesura autografa; sia la copia, rimasta ad Albi ed eseguita sul frammento di un vecchio dipinto, visibile sul taglio della tela.

14 SANT'ANDREA o SAN MATTEO

Non ne esiste copia; ma l'uno o l'altro di questi due Apostoli di solito completa la serie.

15 SAN SIMONE

⊞ ol/tl 65×53 Albi, Musée Toulouse-Lautrec [Or. 39]

Di tutta la serie, è la figura in cui il realismo raggiunge l'espressione più cruda.

16 SAN TOMMASO (erroneamente: SAN MATTEO; SAN BARTOLOMEO)

⊞ ol/tl 65×53 Albi, Musée Toulouse-Lautrec [Or. 40]

È la composizione più caravaggesca della serie: la luce cade sul cranio calvo e rugoso, mentre il viso resta in ombra. La copia, fra le migliori, è dipinta sul frammento di una grande pittura precedente, visibile ai raggi X.

17 SAN GIUDA TADDEO (erroneamente: SAN MATTEO). Albi, Musée Toulouse-Lautrec

⊞ ol/tl 62×51 [Or. 5]

È uno dei due originali conservati ad Albi. Il potente realismo evoca, più ancora che i modelli caravaggeschi, la tradizione nordica e persino, nel colore e nei leggeri accenti aggiunti in punta di pennello, analoghe figure di Dürer.

18 SAN MATTIA

⊞ ol/tl 67×53 Albi, Musée Toulouse-Lautrec [Or. 41]

Va accostato al *San Tommaso* per la prossimità ai tipi propriamente caravaggeschi di vecchi rugosi e calvi, e per gli effetti di luce.

19 SAN BARTOLOMEO (?)

⊞ ol/tl 67×53 Albi, Musée Toulouse-Lautrec [Or. 42]

L'identificazione del santo è incerta, data la presenza dell'unico attributo del libro.

20 SAN GEROLAMO CHE LEGGE. Hampton Court, collezioni reali

▦ ol/tl 62×55 [Or. 7]

Acquistato nel 1662 da re Carlo II con la collezione di William Frizell, col riferimento alla "maniera di Albrecht Dürer", per 150 fiorini; rimasto da allora nelle raccolte della Corona inglese con diverse attribuzioni (Catalani, ecc.). Segnalato nel 1942 da Gerson come replica di un La Tour. Un recente restauro (1972) ha fatto pensare a un originale molto consunto, probabilmente da troppo vigorose puliture antiche che hanno messo ora gli strati inferiori ed assottigliato le lumeggiature dei capelli, della barba, ecc., conferendo all'opera un aspetto consunto. La tecnica originaria sembra assai vicina a quella degli *Apostoli* (in particolare i n. 13 e 17). Il tema del vecchio con gli occhiali, già adottato dal Caravaggio nella *Vocazione di san Matteo* e poi dai caravaggeschi e dai manieristi nordici, è stato ripreso più volte da La Tour (n. 9 e 21).

21 SAN GEROLAMO CHE LEGGE

⊞ ol/tl 122×93 Parigi, Louvre [Or. 43]

88

Opera considerevole, in cui i forti contrasti sembrano già annunciare i notturni, mentre pare trattarsi di un lavoro giovanile, come risulta dagli accostamenti diretti con la serie degli *Apostoli* (n. 7-19) e il *San Gerolamo* di Hampton Court (n. 20) e dalla composizione ancora maldestra della natura morta. In un primo momento si è creduto che l'originale fosse la tela del Louvre, identificata nel 1934 nella collezione Delclève a Nizza e acquistata nel 1935. Ma la sua fattura ha in breve sollevato numerosi dubbi (Sterling, 1951; Malraux, 1951; ecc.) che sono stati confermati in occasione della mostra del 1972.

Esiste un'altra copia antica in proprietà privata a Parigi.

20

21 copia

22 RISSA DI MUSICANTI

ol/tl 94,4×141,2 [Or. 8] Malibu (California), Paul Getty Museum

ol/tl 83×136 Chambéry, Musée des Beaux-Arts [Or. 46]

Scoperto in una collezione inglese, dove era citato nel 1928 col nome del Caravaggio; la sua esistenza venne rivelata nel 1958; ed è stato pubblicato soltanto nel 1971 da B. Nicolson. Passato per una vendita londinese di Christie (8.12.1972), venne acquistato da P. Getty per 380.000 ghinee: è il primo originale importante di La Tour che abbia affrontato un'asta pubblica. Ma la composizione era già nota attraverso la bella copia antica di Chambéry, già considerata appartenente ai fratelli Le Nain ma giustamente attribuita a La Tour da Sterling ed esposta all'Orangerie nel 1934 (n. 50). La violenza del tema e la presentazione a mezze figure come in un bassorilievo avevano suscitato perfino dei dubbi circa l'autore (Philippe, 1935; Landry, 1937; Blunt, 1950); tuttavia la rivelazione dell'originale esposto all'Orangerie nel 1972 ha fatto cadere ogni incertezza, e la tela viene ormai accolta unanimemente. La qualità della stesura è ammirevole, nonostante qualche usura negli abiti, in particolare in quelli del musicante al centro, dei quali rimangono solo gli strati sottostanti. Probabilmente la copia di Chambéry offre dei colori un'idea più vicina allo stato originario.

Il tema è trattato con ben diversa violenza in una incisione di Bellange, una copia della quale porta la scritta "Mendicus mendico invidet" (il mendicante invidia il mendicante; cioè: troverete sempre uno più sfortunato di voi per invidiarvi); questa riflessione morale costituisce certamente il pretesto dell'opera. Nicolson ha accostato il suonatore sull'estrema destra a un *Violinista con bicchiere di vino* di Terbrugghen, inciso da Matham, che deve risalire al 1625 circa. L'opera di La Tour potrebbe appartenere a quegli stessi anni, cioè forse al periodo 1625-30.

23 GRUPPO DI MUSICANTI (SUONATORE DI GHIRONDA). Bruxelles, Musées Royaux des Beaux-Arts

ol/tl (85×58) f(?) [Or. 45]

Scoperto verso il 1948 presso un collezionista belga, subito pubblicato dalla Greindl e acquistato dal Museo di Bruxelles (1949). La radiografia (fig. 23ª) rivela trattarsi della parte di destra d'una composizione con parecchi personaggi; a fianco del suonatore di ghironda si distingue un violinista (sono ben visibili la mano, lo strumento e l'arco). Attualmente l'opera, interamente ridipinta, presenta un aspetto assai deludente; persino la scritta "G. de la Tour f." stranamente posta sul foglio che pende dalla ghironda sembra sospetta. Ma attraverso la radiografia l'esecuzione appare di qualità abbastanza alta per far pensare a un frammento ritagliato in un originale che presentava un tipo di composizione su un unico piano, prossima a quella della *Rissa* (n. 22), e non lontana come datazione dal *Suonatore di ghironda con bisaccia* (n. 24).

24 SUONATORE DI GHIRONDA CON BISACCIA (IL SUONATORE DI GHIRONDA WAIDMANN). Remiremont, Musée Charles-Friry

ol/tl 157×94 [Or. 44]

Si tratta di un importante dipinto di La Tour, che sembra precedere e preparare il capolavoro di Nantes (n. 25). La versione di Remiremont, che agli inizi dell'Ottocento si trovava in Lorena, acquistata nel 1846 da Charles Friry, da lui incisa all'acquaforte (come "scuola spagnola"; fig. 24ª), rimasta nella sua famiglia e poi passata al museo fondato da quest'ultima, è sempre stata considerata opera di bottega (mostra dell'Orangerie del 1934) o copia (esposizione di Arts Décoratifs del 1948); presenta tuttavia una bella qualità e può darsi che la pulitura, non ancora effettuata, riveli un originale di fattura più acuta e di tonalità differente, assai prossima a quella del dipinto di Nantes.

Un'altra versione (ol/tl, 159×97; fig. 24ᵇ), trovata in una casa di Troyes che i gesuiti avevano acquistato verso il 1880, è nota dal 1934 ed è pervenuta al Musée Historique Lorrain di Nancy nel 1960; mostra un'esecuzione più sommaria, e può essere ritenuta una buona copia antica.

25 SUONATORE DI GHIRONDA (con cappello). Nantes, Musée des Beaux-Arts

ol/tl 162×105 [Or. 9]

Una delle opere più importanti e famose di La Tour. Appartenuta alla fine del Settecento e al principio dell'Ottocento alla collezione Cacault; fu acquistata dalla città di Nantes nel 1810 come un Murillo; ammirata da Mérimée nel 1835, da Stendhal

23

22 [Tav. VIII-XII] con le aggiunte posteriori

22 copia

23 a radiografia

nel 1837, da Clément de Ris nel 1861, da Gonse nel 1900, ecc. Attribuita successivamente a Ribera, Velázquez giovane, Herrera il Vecchio, Zurbarán, Mayno, Rizzi, ecc., prima di essere formalmente assegnata a La Tour da Voss (1931). L'attribuzione si è imposta a poco a poco, dopo vivaci polemiche, e non ha più ormai alcun oppositore. Per franchezza e sobrietà di colore è senza dubbio il capolavoro del realismo lorenese e di tutta quella corrente, a volte burlesca, che descrive miserabili e piccoli artigiani e che va dai *Venditori ambulanti di Bologna* del Carracci ai *Venditori ambulanti di Parigi* di Brébiette. Vi si potrà accostare la raffigurazione di un *Suonatore di ghironda*, che nel 1764 si trovava nella stanza da letto del re nel castello di Commercy in Lorena, possibilmente di La Tour: ma nulla autorizza a decidere se si trattava della presente versione o della precedente.

Non è stata rintracciata alcuna copia, salvo una piccola riduzione di assai mediocre qualità (32×23; Parigi, proprietà privata).

24 a incisione

24

24 b

25 [Tav. XIII-XIV]

26 SAN GEROLAMO PENITENTE (con cappello cardinalizio). Stoccolma, Nationalmuseum

ol/tl 153×106 [Or. 11]

Entrato nel Museo nel 1917 dopo essere passato attraverso alcune collezioni svedesi, senza che se ne conosca l'origine; catalogato come Mayno e reso a La Tour da Voss nel 1931. Unanimemente considerato un originale, come confermano parecchi importanti 'pentimenti' (drappeggio intorno al polso, ecc.) e, nonostante la sensibile usura di certe zone, la qualità ammirevole della materia e del tocco. Esiste invece una divergenza di opinioni sulla cronologia, che potrebbe collocarsi prima della versione di Grenoble (n. 31), secondo Pariset (1948); oppure posteriormente, secondo Pontus Grate (1959). La tonalità più bionda, vicina a quella del *Suonatore di ghironda* di Nantes (n. 25), l'entità dei 'pentimenti' e l'elaborazione più lenta, meno decisa, rivelata dalla radiografia, ci fanno ormai preferire la prima ipotesi.

L'opera sembra costituire il collegamento necessario fra il *Suonatore di ghironda* di Nantes da una parte (n. 25) e la prima versione del *Baro* (n. 28) e della *Buona ventura* (n. 29) dall'altra.

27 SAN TOMMASO (IL SANTO DALLA PICCA). ... (Francia), proprietà privata

ol/tl f

Firmato: "Georgius de La Tour fecit". Fu reso noto nel 1950 dalla Pré; poi citato e riprodotto da Pariset (1955 e 1963), Huyghe (1960), Tanaka (1969 e 1972), ecc. Tuttavia, come la maggior parte degli studiosi, non siamo riusciti a ottenere l'autorizzazione per un esame diretto. La composizione più libera, l'arabesco più sinuoso sembrano indicare un periodo nettamente posteriore agli *Apostoli* di Albi e annunciano già lo stile della *Buona ventura* (n. 29).

28 IL BARO (con l'asso di fiori). Ginevra, proprietà privata

ol/tl 104×154 [Or. 13]

Esistente nella famiglia dell'attuale proprietario almeno dalla fine dell'Ottocento; conosciuto dal 1932, ma del tutto trascurato dalla maggior parte dei critici, salvo Pariset (1948), o giudicato una copia; rivelato al pubblico per la prima volta alla mostra dell'Orangerie del 1972 e ormai unanimemente accolto come originale. Questa tesi è confermata appieno dalla radiografia e dai molteplici 'pentimenti', visibili anche a occhio nudo. La tela è in cattivo stato, purtroppo assai consunta in certe zone e molto ridipinta in altre; ma conserva alcuni brani di altissima qualità. La Tour riprende qui il tema del baro proposto dal Caravaggio e molto spesso trattato dopo di lui (Valentin, ecc.); ma vi sovrappone, a quanto pare, come nel n. 29, il tema del Figliol prodigo, e vi riunisce le tre massime tentazioni del Seicento: la donna, il gioco e il vino. La datazione è controversa, e talvolta collocata dopo la versione del Louvre (n. 30). Invece, secondo noi, la tonalità bionda, la delicata fattura, i numerosi 'pentimenti' indicano un'opera nettamente anteriore alla versione firmata (n. 30), e senza dubbio anche alla *Buona ventura* (n. 29).

29 LA BUONA VENTURA. New York, Metropolitan Museum

ol/tl 102×123 f [Or. 12]

Firmato: "G. De La Tour Fecit Lunevillae Lothar". Scoperto nel castello di Vagotière (Sarthe), appartenente alla famiglia del generale de Gastines, proverrebbe da Orléans. Comperato dalla Galerie Wildenstein nel 1949, esportato negli Stati Uniti nel 1952, venne acquistato dal Metropolitan Museum. La notizia suscitò subito in Fran-

26 [Tav. XV-XVI]

31 [Tav. XXV-XXVII]

cia la più viva emozione e una campagna di stampa che diede la misura della celebrità raggiunta da La Tour. In seguito furono sollevati dei dubbi sull'autenticità dell'opera; ma vengono pienamente smentiti sia dal modo della scoperta sia dall'eccezionale qualità del dipinto, uno di quelli in cui La Tour spiega tutta la propria maestria. Sembra che l'esposizione del 1972 abbia definitivamente eliminato l'ipotesi di un falso. Al tema caravaggesco della buona ventura, assai diffuso nella prima metà del secolo (Caravaggio, Gentileschi, ecc.) e sovente complicato, come qui, dai sottintesi amorosi e dalle furfanterie delle zingare (Vouet, Valentin, Brébiette, ecc.), La Tour sembra mescolare, come nel n. 28, il tema del Figliol prodigo spogliato dalle donne, anch'esso frequente a quel tempo. Si è proposto di scorgere una tela dipinta subito dopo che l'artista si era stabilito a Lunéville (Pariset, 1961; Nicolson). Noi crediamo invece che quest'opera segni il punto più alto della produzione 'diurna', e possa essere assegnata a una data assai più tarda: per esempio, gli anni fra il 1633 e il 1639. Secondo le consuetudini del tempo, l'indicazione "Lunevillae" nella firma potrebbe riferirsi a un quadro dipinto fuori della Lorena, o per lo meno destinato a un amatore non lorenese.

30 IL BARO (con l'asso di quadri). Parigi, Musée du Louvre

ol/tl 106×146 f [Or. 14]

Firmato: "Georgius De La Tour fecit". Scoperto nel 1926 da Landry, pubblicato da Voss nel 1931, acquistato dal Louvre nel

27 prima del restauro

27 durante il restauro

1972 per dieci milioni di N. F. Questo celebre dipinto ha costituito il punto di partenza per la ricostruzione dell'opera 'diurna' di La Tour, ignorata dai testi, e rimane uno dei suoi capolavori. È stato datato in modo assai contrastante: sovente considerato una delle prime opere dell'artista a noi pervenute (secondo Pariset, che nel 1963 lo collocava verso il 1625; così, secondo Nicolson e altri); oppure spesso ritenuto precedente alla versione di Ginevra di cui al n. 28 (secondo lo stesso Nicolson e Landry, in una comunicazione orale). A nostro avviso, invece, non può essere che posteriore a quella versione, perché presenta un linguaggio più avanzato, più magistrale, con una tonalità assai diversa e una poesia più severa. La scelta meditata delle varianti e l'assenza di 'pentimenti', così numerosi invece nell'altra versione, sostengono questa tesi. Le forme più stilizzate, i contrasti più accentuati, la gamma fredda dei colori fanno anzi supporre che fra la presente versione e la prima possano essere passati alcuni anni, e che, ben lungi dal costituire un'opera giovanile, questa possa collocarsi al tempo dei primi grandi notturni a noi pervenuti.

31 SAN GEROLAMO PENITENTE (con aureola). Grenoble, Musée des Beaux-Arts

ol/tl 157×100 [Or. 10]

Proveniente dai sequestri del tempo della Rivoluzione, fu probabilmente confiscato nell'abbazia di Saint-Antoine-de-Viennois nel Delfinato; il nome di La Tour vi è infatti segnalato in due manoscritti della prima metà del Settecento fra i pittori di cui l'abbazia possedeva originali. Il dipinto è stato per molto tempo attribuito a differenti artisti spagnoli quali Ribera e Mayno, prima di essere assegnato a La Tour da Voss nel 1931, contemporaneamente alla versione di Stoccolma (n. 26). Dopo numerose opposizioni da parte di La Tourette e altri, e dubbi sull'autenticità (dubbi del resto incomprensibili per la straordinaria qualità della fattura), il dipinto è oggi accolto unanimemente come uno dei capolavori di La Tour. E questa forse l'opera in cui il maestro rivela al massimo le sue qualità di disegnatore incisivo e la fulminea prontezza del pennello: tali elementi sono messi in rilievo da uno stato di conservazione assai migliore di quello della versione di Stoccolma e comprovati dalle radiografie. Nonostante le numerose opinioni contrarie (Pontus Grate, 1959; Nicolson; ecc.), pensiamo trattarsi di un'opera su commissione che riprende il dipinto di Stoccolma ma con un nuovo senso di sintesi e con tonalità del tutto diverse, ove giocano i grigi perlacei e i bianchi; l'opera si accosta così alla seconda versione del Baro (n. 30) e forse implica una visione già toccata dall'esperienza dei notturni.

32 MADDALENA PENITENTE

ol/tv 45×62 Nancy, proprietà privata [Or. fc]

Sembra che il pannello di Nan-

28 [Tav. XVII-XIX]

29 [Tav. XX-XXIV]

30 [Tav. XXVIII-XXXII]

32 copia

33 incisione

34 incisione

34 copia Terff

cy conservi il ricordo di un'opera perduta di La Tour; ma la mediocre qualità ostacola gravemente l'ipotesi. Il colore e alcuni particolari potrebbero far pensare alla prima delle *Maddalene* a noi note, cioè a un'opera datata dagli inizi della grande serie dei notturni, o anche precedentemente.

33 SAN FRANCESCO IN MEDITAZIONE (erroneamente: L'ESTASI DI SAN FRANCESCO; I DUE MONACI)

☐ inc/r 24×31 [Or. 48]

La stampa documenta senza dubbio la prima delle differenti versioni del tema di cui si conservano tracce. L'eleganza della composizione e del disegno sembra far riferimento a un periodo prossimo alla *Maddalena* pure incisa (n. 34). Il tema, che potrebbe sembrare oscuro, era invece frequente nel Seicento, che per i francescani fu uno dei periodi più brillanti. Di solito troviamo san Francesco in estasi sostenuto dall'angelo (Caravaggio) o rapito dal concerto angelico (Sa-

raceni, Guercino); ma il Greco, per esempio, ha lasciato una immagine celebre di san Francesco e fra' Leone in meditazione: questa immagine, più volte ripetuta (Prado, National Gallery of Canada, ecc.), fu incisa già prima del 1606. Le copie a stampa sarebbero sufficienti, qualora occorresse, a chiarire l'iconografia della composizione, sovente fraintesa.

34 MADDALENA PENITENTE (LA MADDALENA DALLO SPECCHIO)

☐ inc/r 20,4×27,5 [Or. 49]

⊞ ol già Parigi (?), Terff

⊞ ol ... (U.S.A.), proprietà privata

Le due copie dipinte, di cui qui sopra si forniscono gli scarsi elementi conosciuti, non sono le sole note, ma si hanno notizie di varie altre. La copia già Terff venne riprodotta da Pariset (1948); l'altra, in America, fu esposta a New York nel 1962 e, nel 1970, a Jacksonville e a St. Petersburg (Florida).

Contrariamente all'opinione da noi espressa nel catalogo della mostra dell'Orangerie del 1972, alcune lievi differenze (capelli, maniche, ansa del paniere, riflesso della lampada, fiamma, ecc.) in confronto alla *Maddalena Fabius* (n. 39), differenze che si ripetono nell'incisione e nelle copie sopra citate, ma non in altre versioni come la copia di Besançon (n. 40), fanno supporre che La Tour abbia eseguito per questo tipo di *Maddalena*, così come per la composizione del Louvre, due versioni assai prossime, di cui questa a mezza figura. Nonostante la mancanza dell'originale, alcuni particolari, per esempio la forma della fiamma e il contorno nero che segue le forme nelle parti luminose, come nella *Maddalena* n. 38, lasciano supporre questa versione di poco anteriore alla *Maddalena Fabius*, ciò che si accorda col fatto che sia servita da modello all'incisione.

35 IL NEONATO (LA VEGLIA)

☐ inc/r 26,7×33,2 [Or. 50]

Il secondo dei titoli suddetti cerca di rendere il francese "Les veilleuses", estesamente impiegato per designare la presente composizione. La copia a stampa, di autore ignoto, reca

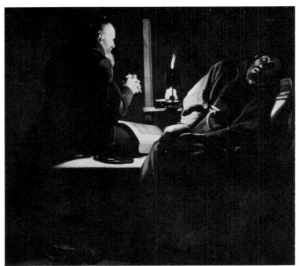

36 copia Le Mans

39 [Tav. XXXIV]

la scritta: "Jac. Callot in -frans vanden Wijngaerde ex.". Si tratta di una fra le più belle e importanti composizioni di La Tour, falsamente attribuita a Callot dall'editore dell'incisione, e restituita all'artista da Voss nel 1915. Si tratta senza dubbio della prima versione a noi nota di questo tema, che

35 incisione

La Tour dovette riprendere più volte giocando sempre sull'ambiguità fra la presentazione profana (maternità) e quella religiosa (la Vergine e sant'Anna che vegliano il Bambino dormiente: si veda al n. 56). Da datare verso il 1638-42.

36 L'ESTASI DI SAN FRANCESCO

⊞ ol/tl 154×163 Le Mans, Musée Tessé [Or. 51]

⊞ ol Lione, proprietà privata

Per le dimensioni, è il più importante fra i dipinti di La Tour di cui si conservi il ricordo. L'originale fu senza dubbio una tra le opere maggiori della prima grande serie dei notturni. La versione di Le Mans, pubblicata nel 1938 da Sterling e spesso accolta come originale (Jamot, 1939; Huyghe, 1945; ecc.), ha presto suscitato dei dubbi (nel 1951 Sterling la giudicava una replica di bottega). Recentemente alcuni autori ne hanno preso di nuovo le difese (nel 1972 Bloch la considerava autografa, e pure nel 1972 Blunt vi riconosceva parti di mano di

37 copia

La Tour; ecc.). Tuttavia l'esecuzione è nell'insieme mediocre e non raggiunge mai la vera qualità di un La Tour: siamo convinti che sia soltanto una buona copia antica di un'opera di prim'ordine. Quanto all'altra copia, a Lione, un po' più debole, conferma l'aspetto dell'originale disperso.

40 copia

37 L'ESTASI DI SAN FRANCESCO

⊞ fr ol/tl 66×78,8 Hartford, Wadsworth Atheneum

Il dipinto di Hartford (noto, a causa della frammentarietà, come *Monaco in estasi*), acquistato sul mercato americano, venne pubblicato nel 1940. Le varianti che esso presenta (per esempio il candelabro) in confronto alla composizione conosciuta grazie alla copia di Le Mans (n. 36), fanno supporre l'esistenza di una terza versione di questo tema; l'osservazione non può sorprendere se si pensa alla diffusione del culto francescano ai tempi di La Tour. La qualità del dipinto è assolutamente troppo debole perché si possa pensare a un originale. Potrebbe trattarsi del pezzo rimasto, e in parte ridipinto, di una copia antica eseguita sulla composizione, ana-

42 [Tav. XXXIII]

logamente che nell'opera suddetta di Le Mans.

38 MADDALENA PENITENTE. Parigi, proprietà privata

⬚ ol/tl 118×90

Scoperto nel 1972 durante la mostra dell'Orangerie, questo dipinto, finora inedito, è analogo alla *Maddalena* firmata del Louvre (n. 47), ma presenta molteplici varianti sia nell'impronta complessiva sia nei particolari (natura morta, posizione delle gambe, ecc.). Riteniamo per certo trattarsi di un originale; una volta ancora ci troviamo qui di fronte a uno di quei 'doppi' di cui la produzione di La Tour offre tanti esempi. Lo stile meno spoglio, alcuni dettagli, come il contorno nero che delimita le parti luminose o il doppio filo di fumo che si leva

dalla fiamma, indicano con certezza una versione anteriore alla composizione firmata, da accostare alla prima grande serie dei notturni.

39 MADDALENA PENITENTE (LA MADDALENA FABIUS). Parigi, Fabius

⬚ ol/tl 113×93 [Or. 15]

Nella seconda metà dell'Ottocento apparteneva alla marchesa de Caulaincourt; acquistata nel 1936 dall'attuale proprietario. Unanimemente riconosciuta come originale di La Tour e come una delle sue creazioni più ricche di poesia. Conserva vecchie vernici che ne modificano la tonalità (si veda tav. XXXIII) e ne rendono difficile la datazione. È stata collocata verso il 1628 da Pariset (1948), verso il 1645 da Sterling (1951) e poi dallo stesso

Pariset (1963); sembra in realtà che costituisca la ripresa con qualche variante di una composizione anteriore (n. 34), e ciò complica ulteriormente il problema. Si potrebbe assegnarla a una data un po' più tarda, cioè dopo il gruppo di *San Giuseppe falegname* (n. 43); ma provvisoriamente, in attesa dell'indispensabile pulitura, la consideriamo prossima alla versione precedente (n. 34).

40 MADDALENA PENITENTE

⬚ ol/tl 66×80 Besançon, Musée des Beaux-Arts

Ritrovata nel 1947 nei depositi del Museo. Per quanto mediocre, propone molteplici piccole varianti in confronto alla *Maddalena Fabius* (la massa dei capelli, il gioco delle ombre, i particolari delle pieghe), che sembrano escluderne la derivazione diretta. Si può supporre che oltre al n. 34 La Tour abbia eseguito due versioni analoghe, una in piedi (*Maddalena Fabius*, n. 39) e l'altra a mezza figura, di cui questa sarebbe l'eco. Mancando l'originale, è naturalmente difficile precisare la collocazione cronologica di questa terza versione.

41 SAN SEBASTIANO CURATO DA IRENE (con lanterna)

⬚ ol/tl 105×139 Orléans, Musée des Beaux-Arts [Or. 47]

⬚ ol/tl 109×131 Rouen, Musée des Beaux-Arts

⬚ ol/tl 104×131 Kansas City, William Rockhill Nelson Gallery of Art

Certamente, la composizione di La Tour che raggiunse la celebrità maggiore. Se l'originale non è stato reperito, almeno dieci copie sono note al giorno d'oggi. Fra le migliori (indicate qui sopra) si trova la versione di Orléans, che figura negli inventari dell'anno XII della Rivoluzione (1803) relativi ai dipinti provenienti dagli ordini religiosi di quella città, col riferimento a "scuola tedesca, nel gusto di Scalf [*sic*]"; venne segnalata dal Longhi nel 1927, ritrovata e pubblicata dalla Pruvost-Auzas nel 1963; copia di qualità discreta, ma il cui colore appare offuscato. La copia di Rouen entrò nel museo in seguito ai sequestri operati durante la Rivoluzione; fu riconosciuta dal Longhi e pubblicata da Demonts nel 1922; il disegno risulta più leggibile che nella precedente, ma è piuttosto greve. Il dipinto di Kansas City proviene (1950) dal mercato antiquario di Amsterdam; talvolta indicato come originale (Nicolson, 1969; Isarlo, 1972; Catalogo dell'esposizione di Cleveland, 1971, ma con riserve); evidentemente si tratta di una copia, quantunque la più fedele conosciuta in quanto a colore. Altre copie di qualità inferiore si trovano nell'Institute of Arts di Detroit (pubblicata come originale da Richardson nel 1949), nel Musée de l'Ancien Evêché di Evreux (pubblicata nel 1935 dalla Lamiray), nella cappella di Notre-Dame-de-Grâce a Honfleur (pubblicata da de Champris nel 1945), e in varie collezioni private francesi o straniere.

È stata datata molto diversamente: Sterling nel 1934 e Bloch nel 1950 la consideravano tarda, mentre Pariset nel 1948 la collocava molto presto, cioè verso il 1632-33. Per conto nostro, crediamo perfettamente adeguata una datazione intorno al 1638-39: il dipinto in esame potrebbe identificarsi col *San Sebastiano* che, secondo dom Calmet, fu offerto a Luigi XIII, se, come pensiamo, il dono era destinato a ottenere il titolo di pittore di corte (1639; si veda n. A 3). Già frequentissimo nel Medioevo, questo tema conobbe un favore particolare presso i caravaggeschi e i loro prosecutori (Borgianni, Terbrugghen e i nordici, Bigot, Brébiette, Perrier, ecc.); esso si spiega con le gravi epidemie di peste (contro le quali si invocava san Sebastiano), ma anche col particolare dialogo amoroso e devoto insieme che il gusto del

tempo finì per proporre interpretando liberamente la *Passio Sebastiani*: proprio come nel nostro caso. Si noti a destra l'appena accennata traccia di orizzonte: è questo il solo esempio in La Tour in cui sia suggerita la presenza di uno spazio aperto.

42 RAGAZZO CHE SOFFIA SU UNA LAMPADA. Digione, Musée des Beaux-Arts (Granville)

⬚ ol/tl 61×51 f [Or. 16]

Firmato in alto a destra: "De La Tour f.". Scoperto a Semur presso una persona la cui famiglia possedeva il dipinto almeno dalla fine dell'Ottocento. Autenticato da Voss nel 1968, acquistato da Pierre e Kathleen Granville e rivelato nello stesso anno alla mostra dell'Oran-

41 copia Orléans

41 copia Rouen

41 copia Kansas City

43 [Tav. XXXV-XXXVIII]

43 a

44 [Tav. XXXIX-XLI] 46 [Tav. L-LI] 51 [Tav. XLVII e IL]

gerie. Si tratta di uno dei pochi esempi di opere di La Tour a noi pervenute e destinate a una clientela privata analoga alla clientela borghese dei pittori nordici; si trovano infatti negli inventari dei notabili lorenesi del tempo parecchie citazioni di "Souffleurs", tra i quali figura, nel 1649, un "souffleur, alla maniera di La Tour". Il dipinto riprende un tema bassanesco caro ai seguaci del Caravaggio come Lievens, Terbrugghen, Stomer e altri, con questo stesso tipo di composizione (dimensioni modeste, personaggi a mezza figura), che ben si adatta a interni borghesi; ma La Tour lo svolge con una severità che rifiuta qualsiasi concessione al pittoresco. La sensibilità di esecuzione e la tonalità generale fanno pensare a un periodo prossimo al San Giuseppe falegname (n. 43).

43 SAN GIUSEPPE FALEGNAME. Parigi, Musée du Louvre (Moore Turner)

ol/tl 137×101 [Or. 17]

Scoperto forse in Inghilterra da Percy Moore Turner verso il 1938, e destinato al Louvre nel 1948 in memoria di Paul Jamot.

44 L'ANGELO APPARE A SAN GIUSEPPE. Nantes, Musée des Beaux-Arts

ol/tl 93×81 f [Or. 18]

Firmato: "Gᴺ. De La Tour...".

Unanimemente accolto come opera certa e della massima importanza, nonostante la mancanza di firma. Una buona copia antica (non una replica, nemmeno di bottega) si trova nel Musée des Beaux-Arts di Besançon ([Or. 52], fig. 43ᵃ). Il franco realismo, la maestria nel far ruotare i volumi, la decisione e la pienezza del tocco (confermati dalla radiografia), la tonalità prugna dove non interviene che una limitata zona di rosso, definiscono nettamente un momento nello stile dell'artista (si vedano pure i n. 42 e 44, che vi si collegano in modo diretto). Le principali datazioni sin qui proposte (Pariset, Sterling) sembrano concordare sugli anni immediatamente successivi al 1640. Alla maniera di numerosi testi religiosi del tempo, il dipinto riunisce i temi della devozione per san Giuseppe, per il Bambino e per la Croce, direttamente richiamata dalla trave segata dal falegname.

Acquistato dal Museo nel 1810 con la collezione Cacault (si veda ai n. 25 e 68); se ne ignora la provenienza precisa. Certamente un po' ritagliato a destra, interessando la firma. Questa firma, prima dimenticata, poi ritrovata (catalogo del 1833), intesa come quella di Quentin de La Tour (catalogo del 1854), poi di Le Blond de La Tour (Clément de Ris, 1872), e finalmente di Georges de La Tour (Voss, 1915), ha costituito il punto di partenza per la riscoperta del pittore, assieme alla firma che appare nella Negazione di san Pietro (n. 68). Presenta una qualità di esecuzione eccezionale (si veda la sciarpa del bambino, che con la sua tecnica 'impressionistica' richiama Velázquez e Vermeer), sebbene appaia profondamente diversa dalle grandi opere diurne (n. 29 o 31). Si ammette per lo più che il colore sia ancora in rapporto con quello del San Giuseppe del Louvre (n. 43). Il tema ha dato luogo a numerose discussioni, venendo di volta in volta interpretato come san Pietro liberato dall'angelo, san Matteo, Elia e Samuele, ecc.; ma sembra più corretto riconoscere una delle apparizioni dell'angelo a san Giuseppe.

45 MADDALENA PENITENTE (LA MADDALENA WRIGHTSMAN. LA MADDALENA DALLE DUE FIAMME). New York, Wrightsman

ol/tl 134×92 [Or. 19]

Scoperta nel 1961 da Conte nella Costa d'Oro presso una famiglia francese cui l'opera apparteneva dalla metà dell'Ottocento, e pubblicata da Pariset; gli attuali proprietari l'hanno acquistata dalla galleria Heim nel 1963. Il dipinto è apparso dapprima sconcertante, in particolare a causa della cornice dorata che si considerava erroneamente posteriore al tempo di La Tour. Ha gravemente sofferto in talune zone, sfigurata da profonde crepe (viso, petto, corsetto, cornice) e deve aver subito ora due grevi restauri. Si è tuttavia imposto alla mostra dell'Orangerie per la sua qualità poetica ed è stato unanimemente accolto e ammirato. Per il colore tutto particolare, sembra non lontano dal San Giuseppe falegname e dall'Angelo che appare a san Giuseppe (n. 43 e 44).

46 DONNA CHE SI SPULCIA. Nancy, Musée Historique Lorrain

ol/tl 120×90 [Or. 20]

Non se ne conosce la provenienza precisa. Scoperta nel 1955 presso una famiglia di Rennes dalla Berhaut; pubblicata da Pariset e subito acquistata dal museo loronese. Nonostante la mancanza di firma, il dipinto è stato accolto unanimemente come di mano di La Tour e anzi considerato una delle sue opere maggiori. Si è dapprima discusso sul tema, interpretato ora come religioso, ora come "pentimento dopo la colpa", ovvero come "prime doglie del parto"; ormai però sembra definitivamente assodato che si tratti di una donna che si spulcia (una pulce è visibile fra le unghie, mentre un'altra appare bene in luce sul ventre): tema frequente nel Seicento soprattutto nel Settentrione, ma trattato anche a Roma (e con lo stesso impegno) da Bigot (Galleria Doria). La datazione ha provocato i più vivi dissensi: si è pensato agli inizi della carriera (Pariset, 1963), a un'opera di transizione fra quelle 'diurne' e quelle 'notturne' (Nicol-

son), o a un'esecuzione tarda. La mostra del 1972 ha messo in rilievo la parentela con il Giobbe (n. 66), sottolineata sia dalla stranezza del tema sia dalle grandi zone di rosso stese a piatto; e tali elementi indurrebbero a propendere per una cronologia molto avanzata. Ma l'esecuzione, più tormentata, si avvicina ancora alle opere del periodo intermedio; ciò viene confermato dall'immagine ra-

48

aiografica, totalmente diversa dal Giobbe, e vicina invece alla Maddalena Terff (n. 47). Del resto può darsi che, come per quest'ultima, si tratti di una composizione relativamente giovanile, ripresa più tardi con linguaggio diverso, che accentua la geometria ma salvaguarda taluni aspetti precedenti (modellato rotondo della testa, forma delle mani, ecc.).

47 MADDALENA PENITENTE (LA MADDALENA TERFF). Parigi, Musée du Louvre

ol/tl 128×94 f [Or. 21]

Firmata: "... la Tour fecᵗ". Acquistata a Parigi da Camille Terff verso il 1914 ed entrata nel 1949, dopo alcune peripezie giudiziarie, a far parte delle collezioni del Louvre. È la più austera, la più compiuta (e la sola firmata) delle Maddalene a noi pervenute. Riprende con numerose varianti una composizione precedente (n. 38), di cui offre un'immagine più grave e spoglia; sia il processo di sintesi

45 [Tav. XLII e XLIV]

47 [Tav. XLIII e XLV]

50 [Tav. XLVI e XLVIII]

50 a copia

95

sia la ben diversa tonalità fanno pensare a una cronologia nettamente posteriore. Con questa *Maddalena* sembra apparire per la prima volta nei modi di La Tour quel mutamento che condurrà all'*Adorazione dei pastori* (n. 50) e alle opere degli ultimi anni.

48 **TESTA FEMMINILE (NATIVITÀ [?]). Parigi, Pierre Landry**

fr ol/tl 38×30 [Or. 24]

Questo frammento, venuto alla luce verso il 1930 a Monaco di Baviera nella collezione Fischmann e pubblicato da Bloch nel 1930, fu acquistato dall'attuale proprietario verso il 1942. Si tratta evidentemente di un pezzo consunto e ripreso nelle parti secondarie, che è stato ritagliato in una grande composizione distrutta; potrebbe trattarsi di un *Neonato* o di un'*Adorazione dei pastori*, ma non può escludersi nemmeno il tema dell'*Educazione della Vergine*. La qualità del profilo, abbastanza ben conservato, ha indotto per lo più (Bloch, 1930; Pariset, 1948; ecc.) a giudicarlo un'opera originale, da collocarsi certamente abbastanza vicina all'*Adorazione dei pastori* del Louvre (n. 50).

49 **NATIVITÀ**

ol/tl 1644

Fu offerta da Lunéville al governatore della Lorena La Ferté come omaggio di fine d'anno nel 1644; è descritta nei bilanci cittadini (fine 1644 - inizio 1645) e nell'inventario dei dipinti appartenenti al maresciallo La Ferté (ottobre 1653) come "Natività di Nostro Signore di notte"; fu pagata all'artista 700 franchi, somma assai rilevante. Parecchi autori ne hanno proposto l'identificazione con l'*Adorazione dei pastori* del Louvre (si veda al n. 50).

50 **L'ADORAZIONE DEI PASTORI. Parigi, Musée du Louvre**

ol/tl 107×137 [Or. 22]

Scoperta ad Amsterdam nel 1926; attribuita a La Tour da Voss e acquistata dal Louvre nello stesso anno. Decisamente sciupata a destra e soprattutto

nella parte inferiore, dove in origine dovevano apparire i piedi di Giuseppe e la base della greppia (si veda la mediocre copia di Albi [Or. 53], che probabilmente fornisce l'immagine della composizione nella sua integrità; fig. 50ᵃ). Per quanto piuttosto consunto in alcune zone, il dipinto conserva un'elevata qualità ed è stato sempre considerato un originale sicuro. Venne sovente accostato (per esempio, da Sterling nel 1934, da Nicolson nel 1971, e da altri) alla *Natività* dipinta alla fine del 1644 e offerta da Lunéville al governatore della Lorena La Ferté (si veda *Cronologia*, 1644): data che, del resto, sembra stilisticamente adatta alla tela. Non si può tuttavia escludere l'eventualità di una ripresa lievemente posteriore.

51 **IL PENTIMENTO DI SAN PIETRO. Cleveland, Museum of Art**

ol/tl 114×95 f d 1645 [Or. 23]

In alto a destra si legge: "Georgˣ de La Tour Invᵗ et Pix ... 1645". Il dipinto comparve sul mercato londinese nel 1950; si affermava, senza prove documentarie, che avesse fatto parte di un gruppo di tele esistenti fino alla metà dell'Ottocento alla Galleria di Dulwich; nel 1951 fu acquistato dal museo di Cleveland. Riprende un tema assai frequente nel Seicento e che La Tour stesso aveva trattato in quadri diurni (si vedano n. 4 e 5). In un primo momento l'opera è apparsa sconcertante per gli effetti espressionistici e un accento 'barocco' che si pensava estraneo a La Tour. All'opposto, vi si potrebbe scorgere un punto di equilibrio fra le precedenti ricerche naturalistiche e gli effetti di stilizzazione che si accentueranno nella produzione successiva.

52 **L'EDUCAZIONE DELLA VERGINE (con libro). New York, Frick Collection**

ol/tl 83,8×100,4 f

Firmata: "de la Tour f.". Scoperta nella Francia meridionale e segnalata per la prima volta nel 1947 da Isarlo; acquistata nel 1948 dalla Frick. Era già nota attraverso un'eccellente copia antica (Parigi, proprietà privata [Or. 54]; fig. 52ᵃ). Nes-

suno ha mai messo in dubbio che l'ideazione spettasse a La Tour. Invece la versione Frick, che presenta un colore crudo e un'esecuzione sommaria, è stata giudicata con severità malgrado la firma: Pariset nel 1948 e Bloch nel 1950 la considerano dubbia, Sterling nel 1951 e lo stesso Pariset nel 1964 la ritengono una replica, Nicolson nel 1969 la giudica di bottega, Wright nel 1969 e lo stesso redattore del catalogo della col-

52

lezione Frick l'assegnano a Stefano de La Tour, Rosenberg infine pensa trattarsi di una copia antica con firma aggiunta. Dal canto nostro, la crediamo viceversa un originale firmato dallo stesso La Tour ma devastato da una pulitura spietata che, salvo qualche piccolo particolare meglio conservato, ha distrutto tutte le velature (la rintelatura e il restauro vennero eseguiti prima che l'opera entrasse nel museo) e ha rovinato il dipinto senza possibilità di ricupero.

53 **L'EDUCAZIONE DELLA VERGINE (con libro)**

ol/tl 126×88 Kreuzlingen, H. Kisters [Or. 54 bis]

Conosciuta da parecchi anni ma pubblicata soltanto nel 1972 nel catalogo della mostra dell'Orangerie (II ed., pag. 255), presenta la stessa composizione del n. 52, ma verticalmente. L'insieme è abbastanza conforme allo spirito di La Tour perché si possa pensare che l'ar-

tista stesso abbia dipinto intorno allo stesso periodo una variante in altezza, di cui questa copia conserverebbe il ricordo.

54 **L'EDUCAZIONE DELLA VERGINE (con ricamo)**

fr (noto come LA BAMBINA DALLO STOPPINO o IL RAGAZZO DALLA CANDELA) 57×44 Detroit, Institute of Arts [Or. 25]

ol/tl 82×95 Cisano sul Neva (Savona), marchese del Carretto [Or. 55]

Questo frammento (appunto dalla sua incompletezza derivano i due ultimi titoli suddetti), scoperto in Lorena dall'erudito e collezionista Charles Friry (si veda al n. 24) intorno alla metà dell'Ottocento, passò in America dopo il 1934 e fu acquistato dal museo di Detroit nel 1938. Molto consunto e restaurato, soprattutto nell'abito, nel fondo e in gran parte del viso (lacerato nel 1945), il dipinto presenta un aspetto piuttosto sgradevole. La recente pulitura ha fatto chiaramente riapparire le tracce del cuscino e delle dita della Vergine; questo prova che la bambina è stata ritagliata da una composizione più ampia, e lo studio di laboratorio ha permesso di ritenere che si trattasse di un originale. La copia, ritrovata in Italia nel 1971 ed esposta alla mostra dell'Orangerie del 1972, dà una visione dell'insieme; in base a essa si può pensare a una data intermedia fra l'*Educazione della Vergine con libro* e il *Sant'Alessio* del 1648.

55 **L'EDUCAZIONE DELLA VERGINE (con libro)**

ol/tl 74×85 Digione, Musée des Beaux-Arts

Entrata nel museo con la colle-

52 a copia

53 copia

54

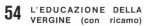

54 copia

55 copia

58 copia Saint Louis

58 copia Nancy

58 copia Besançon

59

59 a

zione Devosges; pubblicata da Pierre Quarré nel 1943. A un primo sguardo può sembrare soltanto un'altra copia del n. 52, in cui una mano piuttosto maldestra avrebbe invecchiato il personaggio di sant'Anna. Ma, ha notato bene Pariset nel 1948, alcuni particolari come il ricamo della cuffia o gli ornamenti del colletto, con i larghi cerchi ricamati, non possono derivare dall'invenzione di un copista. Anzi, essi appartengono proprio al repertorio più personale di La Tour; questo tipo di colletto si trova infatti nell'*Apparizione dell'angelo a san Giuseppe* di Nantes (n. 44) o nell'*Adorazione dei pastori* del Louvre (n. 50), per farsi poi sempre più frequente, come nel *Neonato* di Rennes (n. 57), nel *Giobbe* di Epinal (n. 66), ecc. Si è dunque indotti a riconoscere in questo dipinto l'eco di una terza versione dell'*Educazione della Vergine con libro*, a mezza figura come il n. 52 ma con i visi cambiati e alcune varianti che fanno pensare a una data più inoltrata.

56 IL NEONATO (SANT'ANNA E LA VERGINE CON PANNOLINI). ... Montreal, A. Murray Vaughan

☐ fr(?) 66×54,6

Di origine ignota. Apparve nel 1943 sul mercato antiquario di New York. Si avvicina moltissimo alla zona di destra del *Neonato* preso in esame al n. 35; ma le varianti risultano piuttosto considerevoli, e tali da far supporre l'esistenza di un'altra versione. L'opera è visibilmente molto ridipinta, né ci è stato possibile studiarla direttamente; pertanto non siamo in grado di stabilire se si tratti di un dipinto completo (il tema si ritrova nel Seicento; per esempio, nell'inventario di Claude Deruet è citata una *Sant'Anna e la Vergine con pannolini*), oppure, come sembra più probabile, di un frammento originale ridipinto, o di una copia da una grande composizione scomparsa. È stato più volte esposto come originale di La Tour, in particolare a New York nel 1943 e 1946 e a Montreal nel 1960 e 1965.

57 IL NEONATO. Rennes, Musée des Beaux-Arts

⊞ ol/tl 76×91 [Or. 26]

Forse il più celebre fra i dipinti di La Tour. Entrò nel Museo nel 1794 a seguito dei sequestri avvenuti durante la Rivoluzione, ma si ignora presso chi sia stato confiscato. Venne sempre considerato opera di qualità eccezionale. Suscitò l'ammirazione di Clément de Ris nel 1861, di Taine nel 1863, di Gonse nel 1900, e di molti altri (si veda *Itinerario critico*); Maurice Denis ne schizzò una copia (fig. 57ª). Fu il primo dipinto non firmato reso a La Tour, per merito di Voss nel 1915, e nonostante la mancanza di firma l'attribuzione non è stata mai più messa in dubbio. Ne esiste una piacevole copia antica (L'Aia, proprietà privata, 25×27), segnalata nel 1934 da Sterling (fig. 57ᵇ). Una seconda copia, che proverrebbe dalla Bretagna, si trova attualmente nel Nord della Francia. Ciò che ha sempre

56

57 [Tav. LII-LIV]

57 a copia di Denis

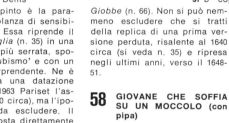

57 b copia L'Aia

colpito nel dipinto è la paradossale mescolanza di sensibilità e di stile. Essa riprende il tema della *Veglia* (n. 35) in una composizione più serrata, spoglia fino al 'cubismo' e con un effetto più sorprendente. Ne è stata proposta una datazione precoce (nel 1963 Pariset l'assegnava al 1630 circa), ma l'ipotesi sembra da escludere. Il dipinto si accosta direttamente per il colore alle varie versioni dell'*Educazione della Vergine*; pare dunque da situarsi fra il 1645 e il 1648. Tuttavia la radiografia rivela una materia ancora più lieve di quella usata per il *San Sebastiano* del 1649 (n. 64), e prossima a quella del *Giobbe* (n. 66). Non si può nemmeno escludere che si tratti della replica di una prima versione perduta, risalente al 1640 circa (si veda n. 35) e ripresa negli ultimi anni, verso il 1648-51.

58 GIOVANE CHE SOFFIA SU UN MOCCOLO (con pipa)

⊞ ol/tl 73×50 Saint Louis, City Art Museum

⊞ ol/tl 77×68 Nancy, Musée Historique Lorrain [Or. 56]

⊞ ol/tl 76×59 Besançon, Musée des Beaux-Arts [Or. 57]

⊞ ol/tl 70×59 già sul mercato francese

La composizione — ulteriore esempio di piccolo formato per interni borghesi — sembra avere avuto un gran successo, e se ne conoscono varie copie. Il dipinto di Saint Louis venne pubblicato da Philippe nel 1935, quando faceva parte della collezione Tulpain a Vaudoncourt (Vosges); pervenne al Museo nel 1956; spesso considerato un originale (Pariset, 1948), è oggi generalmente declassato a copia. L'opera attualmente a Nancy fu pure resa nota nel 1935, da Bloch, allorché apparteneva ai Dorr di Versailles; fu poi del maresciallo Goering. Quella di Besançon proviene dai fondi del Museo, dove era attribuita ad anonimo olandese. Infine, la quarta tela è passata per varie vendite (Parigi, Charpentier, 5-6 dicembre 1957, e 8-9 giugno 1959) in coppia assieme a una *Bambina con braciere* (n. 59). Tali copie, di qualità più o me-

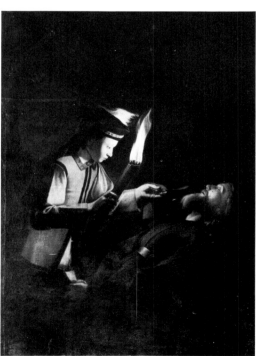

61 con le aggiunte posteriori

61 copia

no mediocre, rimandano evidentemente a un prototipo celebre, forse l'"uomo che soffia su un tizzone per accendere la pipa", segnalato a Cadice agli inizi del nostro secolo e sicuramente firmato. Per quanto si può giudicare dalle copie, il tipo e l'esecuzione fanno supporre una data assai prossima al *Sant'Alessio* del 1648 (n. 61).

59 BAMBINA CON BRACIE-RE. ... (U.S.A.), proprietà privata

⬚ ol/tl 67×55 f

Firmata in maniera poco leggibile. Sarebbe stata scoperta a Tolosa verso il 1940, poi acquistata a Nizza da Jean Neger intorno al 1947; messa in vendita più di una volta da Sotheby (28 giugno 1957, 10 luglio 1968). Ne esistono parecchie versioni che sono evidentemente delle copie: una, appartenente a Guy Stein verso il 1936; un'altra nella raccolta Henri Cuvet a Parigi [Or. 58] (fig. 59ª); una terza, in coppia col *Giovane* di cui al n. 58, posta in vendita varie volte con questa in esame. La versione in argomento è stata messa in dubbio a suo tempo (Isarlo, 1951); più tardi, generalmente accolta dopo la scoperta della firma (Arland-Marsan, 1953; ecc.); poi di nuovo giudicata dubitativamente a seguito di una cattiva lettura (Catalogo della mostra del 1972, scheda relativa al n. 58). Un recentissimo restauro sembra aver rimesso in luce una firma autografa e, malgrado l'usura, una qualità abbastanza elevata per far pensare a un originale.

60 SANT'ALESSIO

▦ ol/tl 1648

Ricordato nei conti di Lunéville come un "quadro raffigurante l'immagine di sant'Alessio, acquistato [presso il "Sieur George de La Tour"] per fare un dono al signor marchese de La Ferté, governatore di Nancy, onde riceverne salvaguardia al bene e al sollievo della Comunità"; pagato all'artista 500 franchi. Si può credere che il governatore l'abbia ceduto quasi subito ad altri, poiché non se ne hanno tracce nell'inventario del 1653. Per lo più si ammette l'identificazione col n. 61.

61 LA SCOPERTA DEL COR-PO DI SANT'ALESSIO

⬚ fr ol/tl 158×115 Nancy, Musée Historique Lorrain [Or. 59]

▦ ol/tl 143×117 Dublino, National Gallery of Ireland [Or. 60]

Una delle opere più commoventi di La Tour. Senza dubbio si tratta dell'"Immagine di Sant'Alessio" dipinta alla fine del 1648 e offerta nel gennaio successivo al governatore de La Ferté: la data concorda benissimo con lo stile del dipinto. La versione di Dublino, scoperta in Belgio verso il 1952, acquistata dal Museo nel 1968, salutata al suo apparire come un originale (Pariset, 1955; Colemans, 1958), è stata successivamente posta in dubbio (Nicolson, 1969; Ta-

naka, 1969) e appare senz'altro una copia antica, di qualità abbastanza buona; ciò ha indotto ad assegnarla a Etienne, figlio del maestro (Wright, 1969), ma l'attribuzione non sembra 'necessaria'. Il merito principale del dipinto è quello di riprodurre la composizione nell'aspetto originale. La versione di Nancy fu scoperta nel 1938 in una soffitta; una grave mutilazione in basso e una vasta aggiunta in alto le conferiscono un timbro rembrandtiano. Dapprima fu accolta all'unanimità come un originale (Pariset, 1938; Jamot, 1942; Furness, 1949; Sterling, 1951; Bloch, 1950 e 1953; ecc.), poi, dopo la scoperta dell'altra, venne considerata una semplice copia; la qualità è tuttavia considerevole. Alla data del 1648 la collaborazione di Etienne è probabile; e, pur in attesa di uno studio scientifico, occorre domandarsi se non possa essere un originale piuttosto indurito dalle puliture e dai restauri, nell'esecuzione del quale il figlio del maestro può avere avuto larga parte.

62 IL PENTIMENTO DI SAN PIETRO (erroneamente: EREMITA ORANTE IN UNA GROTTA)

▦ ol/tl 107×85 ... (Francia), proprietà privata [Or. 61]

Segnalato da René Crozet nel 1966 presso una famiglia fran-

cese cui apparteneva da tempo; fu reso noto da Pariset nel 1967 ed è da tutti considerato un'ottima copia antica (Pariset, 1967; Tanaka, 1969; ecc.). Il disperso originale doveva collocarsi a una data prossima al *Sant'Alessio* del 1648 (n. 61).

63 SAN SEBASTIANO: NOT-TURNO

⊞ ol/tl 1649

Commissionato nel 1649 dalla comunità di Lunéville come dono di fine d'anno per il governatore della Lorena, La Ferté; trasportato a Nancy in dicembre. Fu pagato all'artista 700 franchi (senza contare i 6 versati a sua figlia). Figura nell'inventario del 1653 della collezione La Ferté, con la precisazione che si tratta d'un *San Sebastiano* "di notte". L'opinione più corrente è che sia da identificare col nostro n. 64 o n. 65.

64 SAN SEBASTIANO CURA-TO DA IRENE (con torcia). Broglie, Chiesa parrocchiale (deposito del comune di Bois-Anzeray)

⊞ ol/tl 167×130 [Or. 28]

Scoperto nel 1945 nella piccola chiesa di Bois-Anzeray; se ne ignora l'origine precisa. Restaurato ed esposto temporaneamente nella sala Denon del Louvre nel 1948, fu allora pubblicato e difeso da Thérèse Bertin-Mourat ("Arts", 8 agosto 1948), ma venne dapprima giudicato come opera forse di bottega (Bloch, 1950) o perfino come semplice copia (Charmet, 1958; ecc.); più tardi è stato sempre più largamente accolto come originale (Nicolson, 1958) e ritenuto superiore alla versione di Berlino (n. 65). L'esposizione del 1972 ha confermato questa tesi. La sensibilità dell'atmosfera, la levità degli accordi di colore, l'incantevole chiazza d'azzurro di lapislazzuli del velo (che appena si nota nella tela di Berlino, ove è dipinta con materia meno preziosa) eliminano qualsiasi dubbio sull'originalità. Lo conferma del resto la radiografia, che rivela considerevoli 'pentimenti' e sottolinea la bellezza dell'esecuzione. La composizione riprende il tema del san Sebastiano già trattato (n. 41); ma, questa volta, secondo lo schema della *Deposizione* del Caravaggio e nel severo spirito delle *Pietà*. La contenutezza delle fisionomie e la stilizzazione 'cubista' delle forme sono sempre apparse straordinarie. È stato più volte postulato (Jamot, 1939; Pariset, 1948) un rapporto col *San Sebastiano* offerto da Lunéville a La Ferté alla fine del 1649, rapporto che sembra ormai ammesso da tutti gli studiosi.

65 SAN SEBASTIANO CURA-TO DA IRENE (con torcia). Berlino, Staatliche Museen

⬙ ol/tl 162×129 [Or. 27]

Pare sia stato acquistato a Bruxelles nel 1906; passato nella raccolta Stillwell di New York, fu venduto nel 1927 e comprato da Matthiessen di Berlino, che

a sua volta lo cedette al Kaiser Friedrich Museum. Considerato unanimemente come originale, anche dopo la scoperta della versione di Bois-Anzeray, più tardi è stato messo in dubbio da numerosi critici che lo giudicano una buona copia antica, soprattutto dopo il confronto fra i due dipinti alla mostra del 1972. In realtà l'opera presenta una tecnica più fredda, i personaggi sono immersi in un'atmosfera più opaca, il velo azzurro non è dipinto con lapislazzuli; né sembra che alla radiografia appaiano 'pentimenti'. Tuttavia la qualità resta elevatissima, enormemente al di sopra delle copie conosciute, come quelle di Chambéry (si veda al n. 22),

62 copia

di Besançon (n. 43) e di Dublino (n. 61). Si tenga presente che La Tour aveva l'abitudine di ripetere le sue composizioni; sarebbe normale se l'avesse fatto anche per questa, che è la più ambiziosa fra le opere a noi pervenute, coi suoi cinque personaggi in piedi. È vero che egli usava di solito introdurre molteplici varianti; però negli ultimi anni la presenza nella bottega di un collaboratore come Etienne modificò totalmente le condizioni di lavoro. Pensiamo pertanto trattarsi qui di una replica, senza dubbio preparata da Etienne ma terminata dal padre, e che ben può mantenere la qualifica di originale.

64 [Tav. LV-LVI]

65

66 [Tav. LVII-LIX]

68 [Tav. LX-LXI]

69 copia

70 copia

71 [Tav. LXII-LXIV]

66 GIOBBE E LA MOGLIE. Epinal, Musée Départemental des Vosges

ol/tl 145×97 f [Or. 29]

Acquistato dal Museo nel 1825 con il riferimento a "scuola italiana" assieme alla raccolta del pittore Krantz; accostato nel 1900 al *Neonato* di Rennes da Gonse; attribuito a La Tour da Demonts nel 1922. È stato recentemente sottoposto (1972) a un attento restauro che ha rivelato la firma "... De la Tour...". Da sempre considerato una delle opere più significative dell'artista. Le discussioni si sono per lo più appuntate sul tema: nel 1929 Philippe lo interpretava come "Il prigioniero"; Sterling (1934) scorgeva san Pietro liberato dall'angelo, seguito da Jamot (1939); Longhi (1936) pensava di riconoscere una delle opere di misericordia; mentre Jamati (1950) lo riteneva un sant'Alessio. Tutti i critici sembrano oggi d'accordo sull'episodio di Giobbe apostrofato dalla moglie; questa spiegazione, suggerita da Jean Lafond e da Ronot nel 1935, è stata elaborata da Weisbach nel 1936. Anche la datazione pone molti problemi: Sterling nel 1934 la giudica opera giovanile, mentre Blunt (1953 e 1970) la ritiene di transizione, e Pariset (1963) l'assegna all'estrema maturità. Quest'ultima ipotesi sembra l'unica compatibile con la straordinaria stilizzazione e la potente originalità dell'ideazione. Ne dà conferma la radiografia, che rivela un'immagine particolarmente penetrante, impossibile a collocarsi in un altro momento. Noi siamo convinti di trovarci di fronte all'ultima opera superstite interamente di mano di La Tour.

67 LA NEGAZIONE DI SAN PIETRO

ol/tl 1650

Citato nei conti della comunità di Lunéville come opera commissionata, di sicuro alla fine del 1650, per il dono di fine d'anno al maresciallo de La Ferté. Venne pagato 650 franchi e soltanto in marzo fu consegnato al maresciallo, nell'inventario della cui collezione — steso nel 1653 — risulta con la precisazione che si tratta di un "notturno". Di solito lo si assimila al nostro n. 68, appunto datato 1650.

68 LA NEGAZIONE DI SAN PIETRO. Nantes, Musée des Beaux-Arts

ol/tl 120×160 f d 1650 [Or. 30]

Firmato: "G. de la Tour in et fec MDCL". Acquistato a Nantes nel 1810 con la raccolta Cacault (si veda al n. 25); se ne ignora la provenienza precisa. Attribuito dapprima a Seghers (catalogo del 1833), poi alla scuola fiamminga (catalogo del 1843), infine a La Tour dopo la scoperta della firma nel 1861. Ha costituito, assieme al n. 44, la base per l'accostamento operato da Voss nel 1915 alle citazioni della vecchia letteratura lorenese allusive a La Tour come pittore di notturni. Di solito viene identificato col *Pentimento di san Pietro* che dai bilanci di Lunéville risulta dipinto alla fine del 1650 e offerto al governatore de La Ferté all'inizio del 1651 (si veda *Documentazione*, 1644). Parecchi studiosi hanno avanzato riserve, talora eccessive, sulla qualità della tela, scorgendo persino un'opera di Etienne (Wright, 1969). Tale ipotesi ci sembra da escludere, poiché la composizione spetta certamente al maestro; tuttavia a una data così tarda la collaborazione fra padre e figlio è plausibile (si veda *Documentazione*, 1646), e siamo anche più tentati di ammetterla qui, dato che la radiografia offre un'immagine ben diversa da quella dei dipinti precedenti. D'altra parte, la critica si è spesso stupita di vedere l'autore del *San Sebastiano* riprendere nella maturità un tema così tipicamente caravaggesco (Manfredi, Valentin, Rombouts, ecc.) senza cercare di rinnovare lo schema tradizionale. L'opera è stata accostata a un dipinto di Seghers inciso da Bolswert (Pariset, 1948), ma i rapporti appaiono assai dubbi. La Tour ottiene un effetto tutto personale grazie all'impiego della luce (doppia sorgente celata) e all'estrema schematizzazione dei volumi; ma quest'ultima si unisce, in modo abbastanza paradossale, a un evidentissimo senso del pittoresco che richiama opere molto più giovanili. In realtà sembra possibile che, per questa commissione di Lunéville, La Tour abbia ripreso, più o meno liberamente, con il colore e le forme degli ultimi anni, una creazione assai più antica, e che ne abbia affidato la stesura al figlio, riservandosi i tocchi estremi. Tale procedimento spiegherebbe l'inatteso arcaismo della composizione, lo stile ben diverso da quello usato nel quasi contemporaneo *San Sebastiano* (n. 65), e il carattere peculiare della radiografia stessa.

69 SOLDATI CHE GIOCANO A CARTE

ol/tl 93×123 Parigi, proprietà privata [Or. 62]

L'opera è nota solo attraverso questa sommaria copia antica, che comunque rinvia senza dubbio a un dipinto di La Tour. La qualità troppo mediocre non consente di formulare ipotesi cronologiche. In via di ipotesi sarà da collocare la composizione accanto alla *Negazione di san Pietro* (n. 68), cui la collegano rapporti evidenti. Si veda d'altronde al n. A 5.

70 GIOCATORI DI DADI. ... (Gran Bretagna), proprietà privata

ol/tl

Nonostante la prima impressione, questa copia potrebbe riferirsi, non tanto a una versione del n. 71 dovuta a pittore assai mediocre (il figlio Etienne dopo il 1652?), quanto ad altro originale disperso di Georges de La Tour. Saremmo così ancora una volta di fronte a un 'doppione'. Ma la copia è maldestra; svanita la poesia di La Tour, l'eco è troppo remota perché si possa avanzare una datazione certa del supposto originale (una prima versione del n. 71?). Pertanto conviene limitarsi ad accostare il dipinto ai *Giocatori* di Middlesbrough.

71 GIOCATORI DI DADI (cinque figure). Middlesbrough, Teesside (Gran Bretagna), Museum

ol/tl 92,5×130,5 f(?) [Or. 31]

Fa parte di un gruppo di dipinti donati al comune di Stockton on Tees (Durham) nel 1930; citato nell'inventario del 1934 con la giusta attribuzione, ma scoperto soltanto all'inizio del 1972 e rivelato al pubblico in occasione della mostra all'Orangerie; la sua riapparizione mise a rumore la stampa inglese e quella straniera. Il dipinto non appare però esente da dubbi. Secondo noi la firma "George De La Tour Inv^t et Pinx." è apocrifa, ma potrebbe riprodurre o persino ricoprire una firma autentica, forse scomparsa a causa di una pulitura troppo intensa. La fattura ha sollevato perplessità, e qua e là fa pensare a una copia; anche l'immagine radiografica rivela la povertà della materia pittorica. D'altra parte il dipinto offre strettissime affinità con la *Negazione di san Pietro* (n. 68), soprattutto nel colore; ciò suggerisce generalmente una cronologia assai prossima (intorno al 1650-51). Potrebbe trattarsi d'un lavoro di Etienne, artatamente firmato col nome del padre? Non crediamo. Si può anche pensare a un'opera di Georges lasciata abbozzata alla morte e terminata dal figlio; ma in tal caso l'immagine radiografica risulterebbe diversa. Noi crediamo semplicemente alla ripresa di una composizione antica e forse celebre (l'ispirazione si collega, per esempio, ancora a quella del *Baro*, come si dice più sotto), ed esistono stupefacenti affinità di stile con il primo *San Sebastiano* (n. 41): insomma, una tela con i crismi degli ultimi anni, in quanto a colore e stilizzazione, ma preparata ed eseguita in gran parte da Etienne (come suggerisce la radiografia) e soltanto ritoccata da Georges, cui spetterebbero la firma e le magistrali sottigliezze, visibili in talune zone — testa di destra e impasti — e distrutte in altre dalla spulitura. Sembra ad ogni modo che l'idea fondamentale richiami direttamente il maestro. Nella composizione, il tema dei giocatori è combinato con quello dei soldati, secondo una consuetudine frequente nel Seicento; ma, stranamente, qui il giocatore più giovane non solo pare farsi ingannare dai suoi compagni, ma anche lasciarsi rubare la borsa dal vecchio fumatore di sinistra. In questo modo il dipinto si ricollega alla *Buona ventura* (n. 29) o al *Baro* (n. 28, 30) per un medesimo e altrettanto crudo contenuto morale.

Vecchie opere attribuite

Si elencano qui di seguito i dipinti ascritti a La Tour anteriormente al 1915 che non risultano databili con sicurezza a causa della loro attuale irreperibilità oltre che per la mancanza di copie o altre testimonianze grafiche. L'elenco segue un ordine tematico.

A 1. CRISTO DERISO

 ol/tl

Citato nel 1653 nella raccolta del maresciallo de La Ferté come un 'notturno' raffigurante "Cristo legato con un ebreo che lo colpisce", e valutato 80 lire. Potrebbe trattarsi di uno dei dipinti offerti al governatore della Lorena da Lunéville nel 1645, 1646 o 1651, giacché per quegli anni non possediamo dati precisi circa l'omaggio ricevuto da La Ferté. È probabile in ogni modo che la tela sia stata eseguita fra il 1643 e il 1652. Il tema è frequente nel Seicento, come si può rilevare dalle composizioni, certo assai prossime, di Trophime Bigot nella Galleria Comunale di Prato e nel palazzo Marefoschi di Macerata.

A 2. SANT'ANNA

 ol/tl

Citata nel 1653 nell'inventario dei quadri del maresciallo de La Ferté con la denominazione "dipinto raffigurante sant'Anna di notte" e valutata 50 lire. Si tratta forse di una delle opere offerte da Lunéville al governatore della Lorena nel 1645, 1646 o 1651, poiché per quegli anni non risultano dati precisi sul dono annuale ricevuto da La Ferté. Non è però affatto esclusa l'identificazione con una delle *Educazioni della Vergine* di cui alle schede dei n. 52, 53, 54 e 55.

A 3. SAN SEBASTIANO: NOTTURNO

 ol/tl

Citato nel 1751 da dom Calmet: "[La Tour] presentò a re Luigi XIII un dipinto di mano sua, raffigurante san Sebastiano di notte; l'opera era d'un gusto così perfetto che il re fece togliere dalla propria camera tutte le altre pitture per lasciarvi solo quella". Opera, dunque, anteriore al 1643 (anno di morte del sovrano); si può credere che sia stata offerta verso il 1638-39 per ottenere quel titolo di "pittore ordinario del re" che La Tour portava almeno dalla fine del 1639 (come risulta da un documento del 22 dicembre). Non abbiamo reperito tracce di questo *San Sebastiano* negli inventari delle collezioni reali (redatti allo scorcio del Seicento); resta tuttavia possibile che si tratti dell'originale del n. 41, così celebre che se ne conoscono almeno una decina di copie.

A 4. SAN SEBASTIANO: NOTTURNO

 ol/tl

Pure citato nel 1751 da dom Calmet, il quale, dopo la menzione del *San Sebastiano* offerto a Luigi XIII (n. A 3), asserisce: "La Tour ne aveva già presentato uno simile al duca [di Lorena] Carlo IV". Questo dipinto si trova attualmente nel castello di Houdemont). L'opera doveva essere perciò anteriore al 1643 (si veda n. A 3), e si è addirittura portati a credere che essa risalisse agli anni felici in cui Carlo IV risiedeva a Nancy, cioè fra il 1624 e il '34: indicazione preziosa per la cronologia dei primi 'notturni'. Anche nel caso presente non abbiamo scoperto traccia del dipinto negli archivi. Il testo di dom Calmet non consente di accertare se si trattasse d'una composizione in tutto identica a quella offerta a Luigi XIII, o — come parrebbe più verosimile — d'una prima versione sensibilmente diversa.

A 5. DUE GIOCATORI DI CARTE

 ol/tl

Citato nel 1653 nella raccolta del maresciallo de La Ferté con l'indicazione "due giocatori di carte con *Tyr...* [?]" e valutato 200 lire. È forse uno dei dipinti offerti al governatore della Lorena da Lunéville nel 1645, 1646 o 1651, anni per i quali non possediamo notizie precise in merito al dono ricevuto da La Ferté. Si potrebbe pensare al quadro notturno conosciuto attraverso la copia segnalata al n. 69; ma non siamo in grado di decifrare l'ultima parola (forse "fumatore" o "zingara"?), perché sembra che l'originale dell'inventario sia andato bruciato durante l'ultima guerra; ciò rende impossibile formulare qualsiasi ipotesi fondata.

A 6. PARTITA A CARTE

☐ ol f

Nel 1894 Alexis Martin (*Promenades et excursions dans les environs de Paris, Région du Nord*) segnalava un "grande dipinto di La Tour, la partita a carte" nel castello di Vigny (Val d'Oise), allora appartenente al conte Vitalli. Si trattava senza dubbio di un'opera firmata. Non è impossibile l'identificazione con il *Baro* del Louvre (n. 30), di cui ignoriamo la provenienza; ma si penserebbe anche più volentieri alla *Bettola* posta in vendita alla fine del Settecento (n. A 7).

A 7. BETTOLA CON CINQUE SOLDATI CHE GIOCANO A CARTE

 ol/tl *195×230*

Porta l'indicazione "firmato La Tour" nei due cataloghi di vendita della collezione Le Roy de la Faudignère, "chirurgo dentista di Sua Altezza il principe palatino duca regnante dei Deux-Ponts" (Parigi, 1º marzo 1782 e 8 gennaio 1787). Il dipinto conteneva "cinque figure di guerrieri, due che giocano a carte e gli altri che fumano", figure "in piedi e a grandezza naturale". Si trattava senza dubbio di uno dei più importanti quadri di genere di La Tour (piedi 6×7). Finora non se n'è ritrovata alcuna traccia.

A 8. UOMO CHE SOFFIA SU UN TIZZONE (con pipa)

 f(?)

Segnalato agli inizi dell'Ottocento presso un collezionista di Cadice, don Sebastián Martínez, amico di Goya (si veda Comte de Maule, *Viaje de España, Francia e Italia*, Cadiz 1813, t. XIII, p. 40) e descritto come "uomo che soffia su un tizzone per accendere la pipa, di Georges de La Tour". Il dipinto doveva dunque essere verosimilmente firmato, ma è stato sinora impossibile ritrovarne qualsiasi traccia. Poteva trattarsi dell'originale del n. 58.

A 9. PAESAGGIO AL CREPUSCOLO

Malgrado l'inverosimiglianza, riteniamo necessario accogliere anche questa segnalazione. Indicato pure col titolo di "Marina" e attribuito a Claude du Mesnil-la-Tour (*sic*) nella raccolta del notaio Noël di Nancy (si vedano il catalogo della collezione, n. 5550, t. II, p. 729, Nancy, 1851; e il catalogo della vendita, Nancy, 24 novembre 1884, n. 4), il dipinto non è mai stato ritrovato. L'attribuzione sembrerebbe la mera fantasia di un erudito di provincia, ma potrebbe anche — a una data così precoce — fondarsi su qualche indicazione concreta (per esempio, un'etichetta, una iscrizione sul telaio, ecc.); secondo un serio metodo di studio, non deve dunque essere definitivamente scartata prima di aver potuto esaminare l'opera, che può darsi esista ancora.

Ulteriori attribuzioni

Parecchie altre opere sono state attribuite a Georges de La Tour; il lettore le troverà catalogate qui, sotto la responsabilità degli studiosi che le hanno pubblicate. Si tratta in realtà di dipinti che l'autore del presente volume non ha potuto studiare in modo diretto, o la cui attribuzione non appare sostenuta né da documenti positivi (che possono tuttavia ancora essere rintracciati), né dall'accordo della critica. Si è pertanto ritenuto utile, allo stato attuale delle conoscenze sull'artista, di lasciare aperta la discussione. L'elenco non pretende di essere completo: ci si è limitati a presentare alcuni fra i pezzi più interessanti. Come per l'elencazione precedente, si è seguito un ordine tematico.

D 1. CRISTO ALLA COLONNA. Chancelade (Dordogne), Chiesa parrocchiale

ol/tl 136×94

Bellissimo dipinto, scoperto nel 1942 da Froidevaux e subito attribuito a La Tour; pubblicato come tale da Jardot nel 1945, e da principio unanimemente accolto dalla critica (Pariset, 1948). Tuttavia la mancanza di una struttura plastica mal si accordava con le qualità emotive e sollevava qualche incertezza; tali dubbi vennero confermati dalla scoperta in Italia di un'altra versione, nettamente inferiore, acquistata dal Rijksmuseum nel 1948. Nel 1950 Bloch e Blunt, ben presto seguiti da Sterling (1951) e dallo stesso Pariset (1958), negarono qualsiasi rapporto diretto fra l'opera e La Tour. Malgrado qualche posteriore tentativo in senso contrario (Ottani Cavina, 1967), gli studiosi sembrano ormai unanimi nell'escludere il nome di La Tour.

D 2. SANT'AMBROGIO (erroneamente: SAN GIOVANNI). ... (Svizzera), proprietà privata

ol/tl 103×85

Messo in vendita a Lucerna il 2 maggio 1934 (asta Fischer) con l'attribuzione a Herrera; segnalato e riprodotto da Pariset (1948, pagg. 229-30 e tav. 32.2), che ne ammette il riferimento a La Tour. Il dipinto, che conosciamo soltanto attraverso una fotografia, costituisce evidentemente una copia; ogni giudizio sicuro è pertanto precluso. Tuttavia la composizione richiama da vicino l'arte di La Tour nel periodo del *San Gerolamo* del Louvre (n. 21); non appare quindi inaccettabile l'ipotesi di una serie autografa comprendente i quattro Padri della Chiesa.

D 3. L'ESTASI DI SAN FRANCESCO. Parigi (?), proprietà privata

ol/tl

Pubblicata nel 1965 da Voss ("Pantheon", t. XXIII, pagg. 402-04) come opera di La Tour e messa in relazione col dipinto dello stesso tema eseguito dal Caravaggio (Hartford, Wadsworth Atheneum), in cui il santo è raffigurato in atteggiamento analogo. Malgrado l'avallo dell'illustre studioso, sembra che l'opera non sia stata presa in considerazione dagli specialisti. Giudicando dalla fotografia, appare arduo definire i legami col maestro.

D 4. MONACO SEDUTO. Parigi, proprietà privata

dis 19,8×14

D 1

D 2

D 4

Pubblicato nel 1951 da Sterling, che ha messo in evidenza i rapporti con l'incisione detta *I due monaci* (n. 33) e con il dipinto di Le Mans (n. 36). È il solo disegno sinora reso noto con una attribuzione a La Tour (si veda però al n. D 13). L'analogia del tema appare evidente; ma si tratta di un tema usuale in quel tempo e trattato anche da Callot e da pittori spagnoli. Lo stile richiama immediatamente il 'cubismo' che si considerava un tempo la caratteristica di La Tour, mentre non si avvicina invece alla grafia acuta e sinuosa delle opere 'diurne', a partire dalla *Rissa* (n. 22) e fino al *San Gerolamo penitente* (n. 31). Ci si può soprattutto chiedere se La Tour non sia rimasto fedele ai procedimenti tipicamente caravaggeschi e se non sia stato, come il Caravaggio stesso, Valentin o Le Nain, uno di quei pittori che a quanto sembra non hanno mai usato la penna o la matita. Sarebbe stupefacente altrimenti che, a un secolo dalla riscoperta dell'artista, non si sia potuto ancora identificare alcun foglio di mano sua, mentre sono riapparsi, per esempio,

D 5

D 7

tanti disegni di Bellange. Segnaliamo comunque che di recente sir Anthony Blunt (1972) ha attirato di nuovo l'attenzione sul disegno in esame, asserendo che il suo riferimento a La Tour "merita una considerazione molto attenta".

D 5. SAN GEROLAMO IN PREGHIERA. Parigi, Chiesa di Saint Leu - Saint Gilles

ol/tl   91 × 121

D 8

D 9

D 10

Attribuito un tempo a Valentin, fu esposto da Jacques Dupont nel 1946 alla mostra delle "Pitture sconosciute delle chiese di Parigi" come presunta copia di una composizione perduta di La Tour. A sostegno di tale ipotesi si è considerato il fatto che un'altra copia antica di questa composizione si trova appesa nella chiesa di Notre-Dame de Grâce di Honfleur presso una copia del *San Sebastiano con lanterna* (si veda al n. 41). Pariset nel 1948 giudicava la riproduzione di un La Tour, mentre Blunt nel 1948 e 1950 e Longhi nel 1950 respingevano qualsiasi rapporto diretto con il maestro, e Nicolson attribuiva l'opera a Trophime Bigot (n. 19 del catalogo di Bigot, 1964). È certo che la composizione non richiama La Tour, ma anche il nome di Bigot suscita molti dubbi. Lo stile appare assai vicino a quello dei primi lavori di Honthorst.

D 6. SAN GEROLAMO CHE LEGGE. ... (U.S.A.), proprietà privata

ol/tl   90,8 × 73,7

Esposto nel 1946 a New York (galleria Wildenstein, n. 18 del catalogo) come versione più tarda del dipinto del Louvre (n. 21). Tema e composizione sono in realtà analoghi, ma lo stile appare ben diverso (rifiuto delle linee rette, pieghe meno strutturate, ecc.). Pariset (1948, pag. 226) esitava a stabilire se si trattasse di un originale o di una replica di bottega, ma riteneva che tutto sommato l'opera dovesse "rispecchiare gli inizi di La Tour". Oggi si pensa che anche il rapporto con La Tour debba essere posto in discussione.

D 7. MADDALENA PENITENTE

ol/tl   96 × 82

Messa in vendita alla galleria Fischer di Lucerna nel giugno 1960. La natura morta con lampada e l'impiego del chiaroscuro richiamano da vicino La Tour. La limitata conoscenza della pittura lorense del tempo e il fatto che l'opera ci sia nota soltanto attraverso una fotografia impediscono di formulare giudizi precisi circa l'attribuzione. Abbiamo tuttavia voluto richiamare l'attenzione sul dipinto, che sembra di elevata qualità e che rivela uno spirito assai prossimo a La Tour e ai Le Nain.

D 8. LA NEGAZIONE DI SAN PIETRO. Parigi, Musée du Louvre

ol/tl   94 × 152

Entrata al Louvre con un lascito del 1870 e catalogata come opera di Le Nain; attribuita a La Tour da Demonts nel 1922. L'ipotesi venne giustamente respinta da Voss fino dal 1928; ma, essendo stata recepita nel catalogo Brière del 1924, sopravvisse qualche tempo prima di essere unanimemente rifiutata.

D 9. LA NEGAZIONE DI SAN PIETRO. Tours, Musée des Beaux-Arts

ol/tl

Considerata come di "scuola di Georges de La Tour"; ma giustamente respinta da Pariset (1948). Secondo noi, in verità non presenta alcun rapporto con il maestro.

D 10. LA NEGAZIONE DI SAN PIETRO. Bordeaux, Musée des Beaux-Arts

ol/tl   105 × 160

Benché sia stata a volte considerata autografa di La Tour, non presenta in realtà alcun rapporto con lui. Ne esistono altre versioni, alcune delle quali senza il soldato di destra.

D 11. LA NEGAZIONE DI SAN PIETRO. ... (U.S.A.), proprietà privata

Pubblicata nel 1962 da Bober in "Art Journal" come un originale firmato "G. DELAT... MD...". È in realtà una copia assai debole della parte sinistra della *Negazione di san Pietro* di Seghers incisa da Bolswert. Il solo problema interessante — per la fortuna critica di La Tour — sarebbe poter conoscere se la firma falsa risale a prima del 1934.

D 12. ALCHIMISTA. Oxford, Ashmolean Museum

ol/tl   70 × 88

Proviene dalla collezione di Percy Moore Turner. Fu attribuito a La Tour da Furness nel 1949 (pag. 115 segg.), ma l'opinione non ebbe seguito; fu anzi respinta da Blunt lo stesso anno, e oggi il dipinto viene considerato generalmente opera di Trophime Bigot (n. 33 del catalogo di Nicolson, 1964, sotto il titolo più preciso di *Medico che esamina l'urina*).

D 13. PRESTIGIATORE

Appartenuto ad André J. Seligman di Parigi. Fu esposto nel 1936 alla galleria Manteau e studiato nel 1937 da Coutelé, che ne analizzò dal lato medico la deformazione del viso (ectropio). Un disegno della sola testa (31 × 26,5, matita nera su carta colorata, forato lungo i contorni; fig. D 13ª), dopo essere appartenuto alla collezione A. Beurdeley (6ª vendita, n. 38 del catalogo), è stato messo all'asta al Palais Galliera di Parigi il 20 giugno 1961 (n. 11 del catalogo). L'attribuzione a La Tour, avanzata tempo fa, non presenta alcun fondamento; tuttavia sia il dipinto sia il disegno, spietatamente realistici e non privi di qualità, possono riferirsi a un pittore francese forse del Seicento.

D 14. FUMATORE E DUE DONNE (IL FUMATORE). Guéret, Musée Municipal

Il museo lo espone col nome di Georges Mesnil de La Tour. Si conoscono altre versioni della composizione (si veda Pariset, 1948, tav. 9.3). L'attribuzione è respinta da Pariset, che avanza

D 12

D 14

il nome di Coster. L'assegnazione a La Tour sembra veramente da escludere.

D 15. GIOVANE CHE SOFFIA SU UN TIZZONE (con candeliere). New London (Conn.), Lyman Alleyn Museum

ol/tl   77,5 × 63,5

Acquistato dal museo nel 1969; sembra provenga da una raccolta parigina. Si trovava sul mercato antiquario di New York nel 1940, ed entrò poi a far parte della collezione di Walter P. Chrysler Jr. (1954) col riferimento a La Tour, avallato privatamente da Louis Réau e Walter Friedlaender; l'attribuzione è stata mantenuta fino a oggi. Si tratta in realtà di un'opera celebre di cui esistono numerose

D 13

D 16

D 17

D 13 a

D 15

D 18

copie; l'originale, firmato da Schalcken, è conservato a Althorp House.

D 16. GIOVANE CON CANDELA. Digione, Musée des Beaux-Arts

ol/tl 61×53

Proviene dalla collezione Legouz de Saint-Seine, confiscata al tempo della Rivoluzione (1791). Fu anticamente attribuito a Honthorst. Se ne conoscono altre versioni. Pariset (1948) ne riproduce una (tav. 37.2) come copia di originale perduto di La Tour. Noi pensiamo invece che la composizione richiami direttamente un originale di Heimbach, senza avere alcun rapporto diretto con il maestro lorenese.

D 17. RAGAZZO CON MANDOLINO. Digione, Musée des Beaux-Arts

ol/tl 61×53

Proviene dalla collezione Legouz de Saint-Seine, come il precedente. Anche in questo caso, l'opera non mostra alcun rapporto con La Tour, ma rinvia

senza dubbio a un originale di Heimbach.

D 18. RAGAZZA CHE CANTA. San Francisco, California Palace of the Legion of Honor

ol/tl 67×49,5

Apparso sul mercato di New York verso il 1940; pubblicato nel 1946 come autografo di La Tour secondo un'attribuzione di Walter Friedlaender, ma respinto nel 1951 da Sterling e nel 1958 da Pariset. Il dipinto è senz'altro di mano di Trophime Bigot (n. 40 del catalogo di Nicolson, 1964), mentre il museo lo assegna alla scuola di La Tour.

D 19. UOMO CHE ACCORDA UN LIUTO. ... (U.S.A.), proprietà privata

ol/tl 66,7×50,5

Esposto nel 1946 a New York (galleria Wildenstein, n. 21 di catalogo) con l'indicazione "copia da Georges de La Tour (?)". Anche depresso dal punto interrogativo, l'ipotetico rapporto col maestro non sembra avere ricevuto alcuna accoglienza presso gli studiosi.

101

Repertori

Indice del volume

Fonti fotografiche

Illustrazioni a colori: Flammarion, Parigi; Metropolitan Museum of Art, New York.
Illustrazioni in bianco e nero: Agis, Guéret; Archives Photographiques, Parigi;
Bulloz, Parigi; California Palace of the Legion of Honor, San Francisco; Cooper,
Londra; Danvers, Bordeaux; Ellebé, Rouen; Flammarion, Parigi; Frick Collection,
New York; Giraudon, Parigi; Institute of Arts, Detroit; Kisters, Kreuzlingen; Labo-
ratoire de recherche des Musées de France, Parigi; Lauros-Giraudon, Parigi; Ly-
man Alleyn Museum, New London; Mangin, Nancy; Metropolitan Museum of Art,
New York; Musée Historique Lorrain, Nancy; Musées Royaux des Beaux-Arts de
Belgique, Bruxelles; National Gallery of Ireland, Dublino; Rémy, Digione; Réunion
des Musées Nationaux, Parigi; Saint Louis Art Museum, Saint Louis; Steinkopf,
Berlino; Wadsworth Atheneum (Blomstrann), Hartford; William Rockhill Nelson Gallery of Art, Kansas City; Witt Library, Courtauld Institute of Arts, Londra.

Direttore responsabile: ETTORE CAMESASCA

Registrazione presso il Tribunale di Milano, n. 84 del 28.2.1966.
Spedizione in abbonamento postale a tariffa ridotta editoriale:
autorizzazione n. 51804 del 30.7.1946 della Direzione PP.TT. di Milano.

Editore stampatore: RIZZOLI EDITORE S.P.A.
MILANO, VIA CIVITAVECCHIA 102 - PRINTED IN ITALY